日本人の底力

飯島勲

目次

第二章　世界最強！　日本人の底力

第三章　ちょっとぐらいは「タバコ」を許してあげてくれ …… 161

はじめに

日本、そして、日本人の持つ底力に驚かされている。

新型コロナウイルスの感染者数は２０２１年3月末までに世界で1億２０００万人を突破し、死者は２８０万人を超えた。これからワクチンの投与が進むとはいえ、まだまだ増えていくだろう。対する日本は、感染者数約47万人、死者数は９１１２人だ。人口10万人あたりの感染者数は、世界全体では約１７００人。国別ではチェコの約1万５０００人が最多で、感染者数世界最多の米国は人口10万人あたり約９３００人だった。感染者が多い欧州では、フランス約７５００人、英国約６５００人。一方の日本は約３９０人。日本を取り巻く気候や日本人、政府の努力が数字となって表れている。しかし、これが政権の支持につながっているのかといえば、まったく違う様相だ。

安倍晋三前首相は、体調不良を理由に辞任したが、政権の終盤はコロナ政策での失点が目立った。アベノマスクの国民への配布が遅れ、特別給付金を巡っては政府内のゴタゴタが表面化してしまった。誠実に国民の声に耳を傾けていたはずなのだが、打つ手、打つ手がすべて批判にさらされてしまった。

菅義偉首相も、同様の窮地に陥ってしまっている。日本として最大限の努力をしているのは間違いないし、むしろ菅首相のリーダーシップで、ものすごいスピードでワクチンの供給体制を整えているのに国民の評価を得られない。経済が失速し失業率が上がれば自殺者が増えるという悪循環を防ぐため、経済とコロナ対策を両立させようとしているのに、それが国民の目には「迷走」に映ってしまうのである。反対に、失政を繰り返している小池百合子東京都知事のことを国民は強く支持している。

では、安倍前首相、菅首相、小池知事から何を学ぶべきなのか。どうすればいいのか。それをひもとき、読者の人生の指針を示そうと考えたのが本書の最大の目的である。

民主主義においては、世論の支えがなくてはならない。会社経営も消費者や社員にそっぽを向かれてはダメ、私生活においては家族との信頼関係も大事だ。

いま、簡単に、結論を書いてしまおう。

どんな組織でも何かを決める際には、ゴタゴタは起きる。そのゴタゴタは表に出したほうがいい場合と、悪い場合がある。ゴタゴタを利用して自分への災いを取り除くのが得意なのが小池知事であり、安倍前首相と菅首相は苦手だ。しかし、自分の災いだけを取り除いておしまいなのが小池知事の悪いところで、自分の行動が周りの人に迷惑にならないようにまじめに考えているのが菅首相なのだ。

この3人の行動哲学と実践例から、読者諸賢の底力を引き出してみたい。楽しみに本書を手にとっていただければ幸いだ。

飯島勲

第一章

菅政権の誕生は「無血革命」だ

2020年9月。菅義偉氏が内閣総理大臣に就任した。史上初の「無派閥たたき上げ」総理大臣の誕生を私は早くから予言していた。

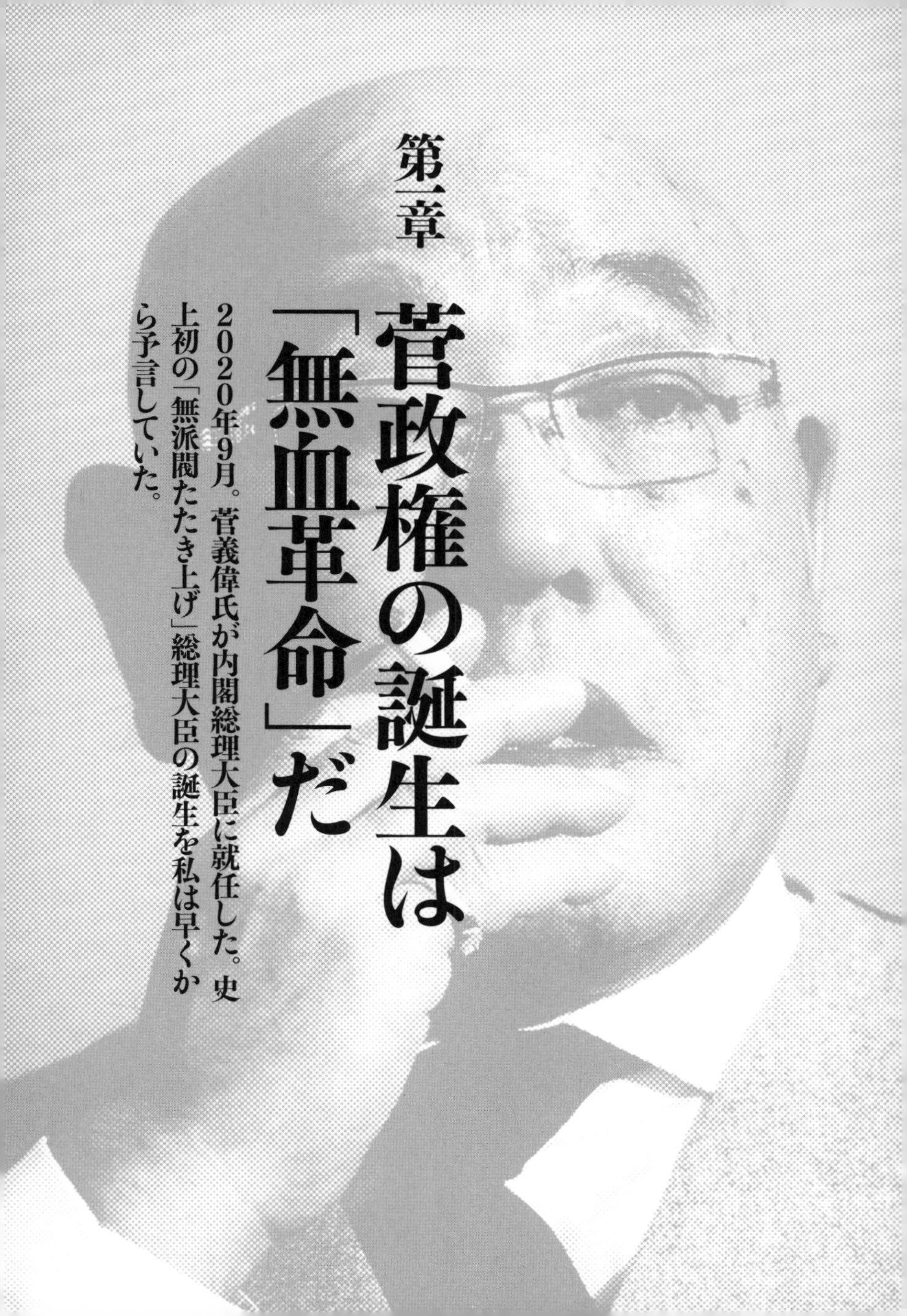

日本の「コロナ対策」は正しいのか

菅義偉内閣が誕生した。無派閥出身の総理総裁は史上初となる。就任したからには、思う存分その政策能力を発揮してもらいたいのだが、２０２０年末から21年初頭にかけて急速に増加した新型コロナ感染者数が落ち着かず、マスコミから集中砲火を浴びて苦労しているようだ。

しかし、私はこの難局に立ち向かうには、日本の政界では菅義偉首相が適任だと思う。政治と関係のない世界から永田町に入ったたたき上げの経歴、国民の生活に役立つ数多くの政策立案と実行力、菅首相という人物を知れば知るほど、昭和の天才政治家・田中角栄を思い出す。

21年1月7日、東京都および、神奈川、埼玉、千葉の3県に2回目の緊急事態宣言が発出された。菅内閣が宣言を出したこと自体は良いと思う。

今回も「タイミングが遅い」「自粛要請内容が緩くて効果が見込めない」など、マスコミは批判ばかりだ。しかし、問題は菅内閣ではなく、感染拡大の震源地である東京都の小池百合子知事の無策にあるのではないだろうか。

私は政府はやるべきことはやっていると評価しているし、この1年間の知見から感染リスクが高いのは、対面での会話を伴う飲食であることがわかり、感染者が増えた地域で飲食業の時短営業を要請してきた。政府の要請に応えていち早く時短営業に取り組んだ北海道や大阪府では20年末には感染者数がいったんは減少傾向に入った。

しかし、政府の責任論ばかりを追及し、飲食業界への配慮を気にして時短に消極的だった東京都では、大みそかに一日の感染者数が1000人を超えた。年が明けても、人の流れは止まらず、東京都の感染者数は増え続け、3日続けて2000人超の感染者が出たこともあった。

また、東京都に通勤する県民が多い、神奈川、埼玉、千葉の3県も連日過去最高の感染者数を記録するようになった。小池都知事は3県の知事とともに、政府に緊急事態宣言を要請というのが年末年始の流れだ。

私はおかしいと思う。小池都知事が、東京都が独自にできる対策をやりつくしてそれでも感染を抑制できないから政府にお願いするというのなら話はわかる。しかし、コロナ問題が拡大して以降、小池都知事は感染拡大防止に具体的な対策を打ったことがあるだろうか。私の記憶では、広報予算を使いまくり、毎日のようにテレビカメラの前でその日の新規感染者数を発表しただけだ。人数発表など都知事がやる必要はない。担当部門の管理職が発表しても、数字は変化しないのだから。

確かに、小池都知事の連日の会見で「3密」という造語が広まり、感染予防法が周知されたという効果はあった。発信力の高さはさすがと言わざるをえない。流行語大賞も受賞し、ご本人はご満悦だっただろうが、冷静に考えれば、3密に気を付けたのは国民一人一人で、小池都知事や都庁が進めた対策が役に立ったわけではない。結局、第3波の感染者増で医療崩壊寸前の状況に陥ったのだから、行政トップとしては明らかに失敗である。

それを持ち前の発信力で、「悪いのは政府。私は頑張ったのに」とやるものだから、アピールをせず黙々と真面目に働いている菅内閣にとっては痛手である。強い悪役を設定して、その敵と戦うヒロインとして自分を演出するのは、小池都知事のいつもの手口だ。コロナ禍の非常時でも、都知事に求められる仕事よりも自分の宣伝を優先させるのはいかがなものか。

今回の、神奈川、埼玉、千葉の3知事を巻き込むという新たな戦術も、知事（現場）は善、政府は悪という構図をつくり出すのに役立ったと思う。小池演出にいいように使われた3知事も情けない。東京都の無策で自分の県も感染者が急増して医療体制が危機に見舞われたのだから、西村康稔大臣に陳情する前に、小池都知事に物申す方が先ではないのか。埼玉県の大野元裕知事が深夜に都庁で会談した後の関係者コメントが「1都3県は連携できている」とは、ばかげている。そんなことのために県境をまたいで都内に行くなど、埼玉県民は怒っていい。

小池劇場に出演するヒマがあったら、それぞれの県民のために働けと言いたい。

小池劇場の出演者といえば、日本医師会、東京都医師会の政府批判も的外れだ。連日マスコミ相手に記者会見を開いて、政府の対応が不足しているとか、国会議員は会食するなとか言っていた。医師会は、その名の通り医師の団体だが、主な会員は町の開業医で、コロナ対応に従事する総合病院ではないので、会長たちが語る現場の意見というのは、伝聞情報なのである。どこか人ごとのような口調で切迫感がない。本当に現場に出て、緊迫した状況で戦っている医師たちは記者会見場に来るヒマはない。

看護師のみなさんは医師と同じく、いやそれ以上に大変なはずだが、日本看護協会の代表はそんなに頻繁にメディアに出てこない。20年末に一度記者会見が行われたが、現場で働く看護師のアンケート調査の結果発表で、離職率や差別を受けた実例など、コロナ禍での看護師の実情がよく分かる内容で、最前線で働く看護師たちの苦労とありがたさが強く感じられた。

コロナ対応の病床数がよく問題になるが、単純なベッドの数ではなく、患者につく医師と看護師がセットになった数だ。この数年の看護師不足で、ベッドだけなら空いている大病院はたくさんある。医師会は専門外の政府批判の会見を開くよりも、人手不足解消の方に力を使ってほしい。

私が提案したいのは、感染対策の成功事例を広めることだ。飲食店を含めて室内に多くの人が集まるところは感染リスクが高いとよく言われるが、クラスターがほとんど出ていない業態は結構ある。

例えば、昨年の自粛期間に小池都知事が目の敵にしていたパチンコ店の感染事例は少なく、クラスターが発生したという話は現在まで聞かない。そもそもパチンコは横並びで台に向かっているだけで会話がない遊びだから、リスクが低いのだろう。おまけにパチンコユーザーには喫煙者が多いため、店の換気設備は強力なものが多い。

次に感染源と騒がれた〝夜の町〟も、キャバクラ、ホストクラブなどでのクラスター発生は報じられたが、銀座や赤坂の高級クラブでの事例は聞こえてこない。こうしたクラスターが発生しない飲食店ではどんな対策を講じたのかを聞き取って、共有すべきだろう。都知事は、そういう仕事を担当すべき保健所が感染者対応でそんな余裕はないから無理と言い訳するかもしれない。しかし、都にはいろいろリソースがある。私が活用すべきだと思うのは消防。飲食店の営業許可は、保健所が食品衛生法の分野を管轄し、消防署が消防法に関わる部分を監督する。

コロナを一つの災害と捉えれば、消防署が調査する権限はあるはずである。消防署の防災対策チェックは厳格なので、消防が来るといえば、飲食店は本気で対策するはずである。このほか町内会や商店街の商店連合会など、自治体レベルだからこそ動かせる組織を活用すべきだ。

それでも東京都がまともな対策を実施できないなら、解散総選挙しかない。菅首相が衆院を解散するチャンスはまだある。そして、解散すれば与党は必ず勝てる。どんなに批判があったとしても、この危機的状況で政権交代を考える国民は少ないからだ。そして、民意を背景に菅首相は堂々とコロナ対策、経済対策を進めればいい。

菅義偉内閣が誕生
私だけが予言できた理由

『プレジデント』誌の連載「リーダーの掟」のバックナンバーを見てもらえば分かることだが、私は２０１８年の自民党総裁選の前から、「ポスト安倍は菅」と主張してきた。ポスト安倍レースについて、「岸田VS石破」という予想をする人が多い中で、「出たい人なら岸田政調会長だが、出したい人なら菅官房長官。現実的にはこの二人しかいない」といい続けてきた。当時は、そんな私の意見には誰も耳を貸さなかったのに、安倍前首相の辞任発表の後、自民党内の菅支持の流れが雪崩を打つかのように強まる中で、国会議員だけでなく、有名政治評論家やベテランジャーナリストまで「菅さんしかいないと思っていた」などといい始めたのには苦笑した。

つい数カ月前まで、コロナ対策で「菅はずし」と騒いでいたにもかかわらずである。

さらにいわせてもらうならば、報道各社のポスト安倍に関する世論調査も、8月まで最下位だった菅氏が、総裁選勝利が濃厚になったとたんに、「首相にふさわしい人」のトップに躍り出た。選挙に関係のない、自民党員以外の一般の国民まで勝ち馬に乗ってしまうところがいかにも日本人らしい。

▼危機に対応できる総理大臣の条件

だが私は、再三にわたり「次期総理にふさわしいのは、菅義偉だ」と、菅氏への総理待望論が出る前からいい続けてきた。菅氏は秋田県に生まれ、夜行列車で上京。アルバイトで入学金・学費を稼ぎながら大学に通うという大変な苦学を経て神奈川県に至り、地盤がない中で横浜市会議員として苦労を積んできた。

大都市市会議員の難しいところは、選挙基盤の人口の入れ替わりが非常に激しいことだ。選挙の際にどれだけ汗をかいて名簿を集めても、次の選挙のときには集めた名簿リストの3割は不通になってしまう。絶えず選挙区を回り支持者の名簿を更新し続けなければ落選してしまうのである。そうしてサラリーマンや庶民の声を絶えず聞いてきた菅氏こそ、国難の時代に国民の苦労に寄り添えるリーダーだと断言できる。

菅義偉首相は7年8カ月の官房長官の経験で、内政については誰よりも詳しい。官房長官時代には、新しい施策について報告に行くと、評価できない内容だとその場でバッサリ切り捨てられるので準備が大変だが、国民に有益だと判断すれば、実現するまで徹底的に後押ししてくれるのだと各省庁の次官クラスが感心していたものだ。

菅内閣の内政については手腕を疑う余地はないが、外交については不安の声もちらほら聞こえてくる。しかし、心配はいらない。安倍晋三前首相と海外の首脳の電話会談にはほぼ同席していたし、安倍前首相の外国訪問の際も、官房長官として関係省庁の担当者から首相と同様のレクチャーを受けているから日本の外交案件はすべて熟知している。外交では首脳外交が注目されがちだが、官房長官時代の菅首相は、大使の任務遂行のため、協力的な支援をした人物に対して年齢や経歴に関係なく勲章を授与できるように改革し、現地で働く外交官の成果を拡大させた。仕事の面ではまったく心配のいらない新総理大臣である。

唯一課題があるとしたら、一般の人々へのアピール力が少し弱いことくらいだろう。派手なパフォーマンスをできない人だから、選挙のときの人寄せパンダにはなれないかもしれない。しかし、就任当初に多少人気がなくても問題はない。就任してちゃんと仕事をすれば支持率は上がり、個人的な人気も出てくる。就任前には「地味」といわれていた、三木武夫、大平正芳の両元首相だって就任後は華も出て、街頭演説には多くの人が集まった。大平元首相は、話に詰まると「あー、うー」という言葉を多く発したことから、当時の落語家などにモノマネをされて、「あーうー宰相」として私たちの記憶に残ってしまっている。しかし、彼の演説から「あー」と「うー」を削除すると、驚くほどまとまった文章で中身も濃かったから、聴衆には案外受けがよかったものだ。

国民もバカではない。菅首相の仕事ぶりを評価して、あの人柄に親しみを感じてくれれば、現在の高い支持率が続くと思う。パフォーマンスはその分野が得意な河野太郎行政改革担当相あたりに任せておけばいい。

新内閣の顔ぶれを見ても、任命されたその日から働ける閣僚をそろえていると感じた。官僚の使い方を知っていて、スピード感のある政策遂行が可能なメンバーだ。そして、そのスピードを実現するキーワードは「忖度（そんたく）」である。

▼官僚はもっと「忖度」すべし

「忖度」とは本来、「他人の気持ちを推しはかること」の意味である。しかし、安倍内閣時代に悪い意味の言葉としてマスコミに取り上げられてしまった。しかし、菅内閣では、官僚も政治家も、本来の意味での「忖度」に励んで、どんどん政策を実現してほしい。

普通の家庭でも、夫は妻の顔色を見ながら言葉を選び、行動に移すものだ。会社員でも上司の考えを先読みして行動できる社員が出世できる。官僚は、菅首相の政治理念をまず理解して、それに沿って自らの仕事を見直し、指示される前に政策を遂行できるように準備するのが当然と考えてもらいたい。

菅首相に呼ばれたら、そのときには政策の準備ができているようにする、それが真の「忖度」ではないだろうか。

菅首相の最大の強みは、縦割り行政の弊害とそれへの対処法を知っていることだ。

2014年2月、関東甲信・東北地方の豪雪の際に、雪に慣れない地域で多くの自動車が立ち往生し、緊急車両の通行を妨げ、復旧が遅れたことがあった。これによる大渋滞で、何日も車の中で過ごすことを余儀なくされた人も多かった。当時の法律では私有財産である自動車を行政が勝手に移動することができなかったのである。自然災害発生時における道路の復旧は、道路管理者である国土交通省、災害救助に出動する総務省消防庁、警察庁、さらにはその地域の自治体と複数の省庁が複雑に絡み合う、縦割り行政のモデルのような事案だった。

それを菅官房長官は、問題を把握するとすぐに、緊急時に道路をふさぐ自動車があれば、所有者が不在の場合でも、運転者が拒否した場合でも、道路管理者の権限で道路外に移動できるように災害対策基本法改正の準備に入った。秋の臨時国会に改正案を提出して11月に成立させ、その冬に間に合わせた。実際、改正法の成立直後の同年12月に四国で豪雪があり、50台の車が立ち往生したのだが、法改正が間に合ったおかげで、スムーズに復旧できた。従来の霞が関ではありえないスピード感である。

このまま菅内閣が仕事を進めれば、経済のV字回復も見えてくると思う。実際、株価は安倍内閣時代と同様に2万数千円台の高い水準を維持しており、経済界が菅内閣を歓迎していることが分かる。

この豪雪対策はほんの一例である。いまではすっかりおなじみとなった「ふるさと納税」も、菅首相が総務大臣に就任してすぐにつくり上げたものだ。地方議員としての肌感覚から、地方自治体の運営をなんとかしないといけないと考えていたのだろう。意外なところでは赤坂迎賓館の通年公開も官房長官時代の菅首相の発案だ。要職に就く以前から拉致問題にも取り組み、2004年には万景峰（マンギョンボン）号など北朝鮮船舶を想定した「特定船舶の入港の禁止に関する特別措置法」を議員立法で成立させている。

▼令和の田中角栄をめざせ

現役の国会議員としては菅首相の政策能力は突出しているが、昭和の天才、田中角栄元首相は本当にすごかった。田中角栄が卓越した政治家であると私が評価する理由は、何よりもその議員立法の実績にある。28歳で初当選してから10年ほどの間に25本もの議員立法を成立させている。

当選から10年間は一般的に「陣笠議員」と呼ばれる時期で、党の指示に従って国会で投票だけをしていれば文句はいわれない。下級武士がかぶった「陣笠」が語源といわれるこの言葉は、若手議員が大きな政策立案に関与せず、採決の人数合わせのために議場にいることを揶揄したものだが、20代の新人議員のころから自分の手で法案作成を手掛けた角栄は異例中の異例といえる。最終的に42年間の国会議員生活の間に、一人で提案した議員立法が33件に達した。これは日本憲政史上の最高記録で、今後も破られることはないだろう。間接的な関与も含めれば１００以上の法案作成に関わっている。そして、角栄立法のすべてが現在の日本の社会基盤の礎となっているから驚く。

尊敬の念を込めて「角さん」と呼ばせてもらおう。角さんが「土建屋」出身で、その後のハコモノ行政中心の政治に大きな影響を与えたことから諸悪の根源のように批判する人がいるのも確かだが、戦時中の空襲で焼け出された人々に安全な住宅を提供する必要があったことを忘れてはならない。角さんは、そういった時代に建築を担う人材を育成するための建築士法や、公営住宅を大量に供給するための公営住宅法、住宅金融公庫法などを議員立法で通している。人口増加、産業の発展に対応するために電源を確保するための電源開発促進法も角さんの提案だ。

道路財源に使うためのガソリン税をつくったのも角さんだ。田中角栄といえば道路というイメージだが、昭和20年代はまだ自家用車も少なく、ガソリン税で全国の道路整備が賄えるほどの税収があるとは思えないという理由で、官僚はガソリン税導入に大反対だったそうだ。日本で初めての目的を特定した税金という点も、大蔵省（現・財務省）を刺激した。大蔵省が独占してきた予算配分の権限が奪われることを恐れたためだ。国会でも大蔵省に近い議員たちによる突き上げが続いたが、角さんは提案者としてほとんど一人で答弁し続けた。態度を硬化させた大蔵省に自ら乗り込み、「日本の再建の基礎は道路だ」と粘り強く説得して回ったという。角さんが議員立法でつくった道路法、ガソリン税法、有料道路法は道路三法と呼ばれ、日本の道路網整備の原点となり、その後の高度成長を支えた。もちろん、角さんを道路整備にかりたてたのは、冬の間雪に閉ざされて交通が不便だった地元の新潟県を発展させるためであったのは間違いない。それでも、日本中が角さんの郷土愛の恩恵を受けているという事実は動かせない。

日本の官僚は優秀だが法律の範囲でしか仕事をすることができない。それでは困る人が必ず出てくる。法律を新たにつくったり、変えたり、廃止したりという判断をするのが政治家の仕事だ。田中角栄という人はそれが天才的にうまかった。角さんがつくり上げた戦後のシステムは21世紀を迎えるころには役割を終え逆に批判対象になっていった。しかし、立法によって困った国民を助けるという政治家の仕事の本質は変わっていないはずだ。二世議員や高学歴のエリートが中心の現役国会議員は国民が求めるモノを見極める能力が低下している。令和の田中角栄に最も近い位置にいるのが菅義偉首相である。

▼安倍内閣で進展できなかった拉致問題を解決したい

かくいう私も内閣参与（特命担当）に再任された。第2次安倍内閣で7年8カ月、特命担当参与として務め、安倍内閣総辞職と同時に職を辞し、官邸の部屋を片付けて引き払ったのだが、8日間の空白を経て、また戻ってきた。今度こそ、拉致問題解決のために役に立ちたいと考えている。拉致問題は安倍内閣で最重要課題だとされていながら、実質的には何も進まなかった。北朝鮮関係者は締め上げるべきという感情論にとらわれて、対話と圧力の、圧力だけに終始しているうちに、外務省は対話の糸口を失ってしまった。

これでは帰国できる人も帰国できない。私に任せてくれたら、1週間で対話の糸口を復活させてみせる。そして菅首相と金正恩朝鮮労働党総書記の首脳会談により、被害者の皆さんの一日も早い帰国を実現させたい。

長所と短所がハッキリしている「菅内閣」

新政権発足後約3カ月は「ハネムーン期間」と呼ばれ、野党もマスコミもむやみに新政権を攻撃せずに、あたたかく見守るというのが慣例になっている。しかし、「前内閣の継承」をうたっている菅新内閣は、まだ就任が確定していない総裁選期間中から激しい攻撃にさらされた。安倍内閣の「負の遺産」にどのように対処するのかという問題である。

マスコミや野党がいう「負の遺産」とはいわゆる「モリ・カケ・サクラ」であった。菅新首相は一貫して「すべて終わった問題」と答えている。事実そうなのだが、感情論で押してくるマスコミや野党は「誠実でない」と批判を強めている。

マスコミも野党も、問題の大小にかかわらず、事実か否かも確認せずに、とにかく政権を批判すればよいと考えている。まったくバカバカしい。菅首相も反論することすらバカバカしいと考えているかもしれないが、最初期からの菅応援団の一人を自負する私は「負の遺産」は決して「負」ではなかったことを説明したい。

▼「負の遺産」などない

まず、「桜を見る会」についてである。首相が交代してもまだ騒いでいる。「各界で功労・功績のあった方々を慰労する」目的の公的なイベントが、安倍前首相個人の政治活動に利用されたのはけしからん、というのがこれを批判する人の主張である。確かに、グレーゾーンではあるだろうが、長年の慣例であり、民主党政権下では、支持母体の連合から多数の労働組合員が動員されるなど、あからさまな政治活動が行われていた。

かくいう私も民主党政権時代以外は、毎年、招待券を入手できた。「モリカケ」でも内閣に大きな傷を負わせることができなかった野党が、必死で攻撃材料を探して発掘したのだろうと思うが、「桜を見る会」でも安倍内閣がダメージを受けることはなかった。その後、参加者が自費で泊まったホテルでの前夜祭の費用の一部を安倍前首相の後援会が負担していた問題について、市民団体が政治資金規正法違反で告発したが、東京地検は安倍前首相の退任後に前首相は不起訴、公設第一秘書を略式起訴とし、罰金100万円の略式命令を下した。

地元から多くの支持者が東京に来ていれば、秘書があいさつに行くのは当然のことである。コロナ拡大以前のことだから、集まった支持者が親睦会を開くのも問題ない。飲食の提供は違法だが、会場費を後援会事務所が負担することは制限されていない。批判する人々は「一流ホテルで開催された前夜祭の会費が1人5000円では安すぎる。不足分を事務所が補填したのであれば違法」というが、最初から、「参加者の会費は飲食費のみの価格として設定し、会場費を事務所側が負担した」と説明していれば、法的にも問題はなく、こんな騒ぎになってはいなかったはずである。これは、前夜祭の費用の内訳をきちんと把握できていなかった秘書の単純ミスであり、担当の公設第一秘書が政治資金収支報告書の不記載による略式起訴というのは妥当な判断である。

安倍前首相には国会での説明が間違っていたという道義的責任が残されているが、これについては、次の総選挙で有権者が判断すればよい。

次に、「加計学園」の問題。愛媛県今治市に加計学園グループの岡山理科大学獣医学部が新設される際に、同学園の理事長が安倍前首相と親しい友人であったことから、特別な便宜が図られたのではという疑惑が報じられ、野党も国会で取り上げたが、これは単なる疑惑であり、事実ではない。

２０１４年、このまま地方の人口減が続くと、40年には地方自治体の半数が消滅するという衝撃的な調査結果が発表された。これを阻止するため、人口減に悩む地方自治体は若年層の人口流入を目的に、あらゆる手を使って大学の誘致活動を進めてきた。大学を誘致する理由は、学生が在学中の４～６年間をその土地で暮らすことでそのまま定住する可能性や、そうした人材を求める企業の誘致への期待も高まるからだ。そして、自治体から無償で提供された土地や、億単位の補助金を受け取って設立された大学は約40校に上る。今治市以外のケースでも誘致の仲介役に政治家が存在するのは当たり前で、文科省、厚労省への陳情のために、歴代の事務次官OBをスカウトして圧力をかけ設立された首都圏の医療系の大学もある。加計学園がかわいらしく見えるほどの〝政治銘柄〟だった。

もう一点、この問題で忘れられがちなのが、獣医師会の既得権益である。日本の獣医師の歴史を振り返ると、明治以降、陸軍の軍馬の診療を目的に発展してきた。日本の戦後、陸軍獣医学校は廃止されたが、軍所属の獣医が中心となって設立された獣医師会は必要以上に獣医師の数を増やすことを望まず、50年以上も新たな獣医養成学部の創設を認めなかった。これがペットブームの中で獣医師不足や家畜の防疫対策の遅れなどを招いたともいわれ、獣医学部の必要性は広く認識されていたが、門戸は開かれなかった。既得権益を守りたい団体が、安倍前首相の友人関係を利用したという見方もある。

大学設立などの規制緩和は、安倍内閣が20~30年先を見越したアベノミクス「新・三本の矢」の成長戦略として実施したものだ。運営団体の理事長が、安倍前首相の友人だったという理由でケチをつけた人々は、地方の涙ぐましい努力に目を向けず、新たな成長の芽を摘んでいるということに気づいていないのか。冷静に考えれば「加計学園」の件は問題にすらならないのである。逆に、規制緩和という本質に目を向ければ、安倍内閣を継承する菅内閣にとって、成長戦略の核となる重要政策といえる。

最後に「森友学園」の件。これは新首相が対処すべき問題ではなく、司法の場で解決すべき刑事事件である。本来、国有地を売却する際には、競争入札が行われるのが一般的だが、自治体や公的機関が取得に名乗りを上げたり、すでにその土地を借りて何らかの事業を行っているものがいれば、競争入札にはならず、優先的に土地が譲渡されることになる。籠池前理事長は、こうした制度を政治家や近畿財務局の職員より熟知しており、最初に陳情した地元の政治家や、たまたま知り合った安倍前首相の昭恵夫人の名前を効果的に利用して、法の隙間を突いて、格安で土地を入手しようとしたという詐欺まがいの事件にすぎない。

そして、この事件に対して大阪地裁で懲役5年の有罪判決が出ている。籠池前理事長は控訴中だが、政治的には菅首相のいう通り「終わった」問題なのである。

菅外交の秘密兵器

２０２０年10月、菅首相の初めての外遊となるベトナム訪問の際に、ベトナムの国家主席の名前で授与される「友好勲章」をいただいた。いつもの「ノービジネス・ノーマネー」の姿勢で、日本とベトナムの橋渡しを続けてきたことが評価されたとのことで、本当にうれしかった。

授与式はなんと、日ベトナム首脳会談と首相歓迎晩餐会の合間に行われた。外務次官から「晩餐会で必ず勲章を着けてください」と念押しされたので、恥ずかしながら勲章を身に着けて晩餐会の会場に入ったところ、フック首相をはじめ、ベトナムの閣僚たちなど、ベトナム側の出席者から盛大な拍手で迎えられた。フック首相など、私にハグまでするものだから、首相秘書官たちなど日本側の出席者は何が起きているのか分からないといった雰囲気だった。ただ一人、事前に事情を知っていたらしい菅首相は「おめでとう」とあたたかく祝福してくれた。

また、フック首相が「イイジマさんはノービジネスではベトナムで一番有名な日本人」というと、菅首相が「飯島さんは前々からポスト安倍は菅といってくれていた」などと答えていて、少し照れ臭かった。

私の話はさておき、菅首相の初外遊は大成功だったと思う。官房長官の経験から安倍内閣時代からの外交課題を熟知しており、知識の面では何の問題もないことは分かっていたが、首脳同士のやりとりでは言葉は悪いがある種のハッタリも必要となる中で、あの実直な人柄で乗り切れるのかと少し不安もあった。しかし、外国でのスピーチでも、いつも通りの淡々とした口調でこなした。

あれを棒読みと揶揄する人もいるだろうが、首相として初めての海外でのスピーチで、上ずることなく、マイペースを崩さないというのはすごい。今後もこのままでいてほしい。安倍前首相は米国とのトランプ前大統領との盟友関係を軸に、長期政権で国際社会をリードする存在となったが、菅首相の良さである「約束は必ず守る」「絶対に裏切らない」ということが相手国に伝われば、首脳外交の場での存在感を増していくのではないか。

▼目立たないことで目立つ菅首相夫人

そして、菅首相の初外遊での最大の収穫は、真理子夫人の外交デビュー成功だと思う。菅首相も「パフォーマンスが下手」「地味」とよくいわれるが、真理子夫人はそれに輪をかけて控えめな方だ。

ファーストレディーというと、どうしても華やかさが期待される。特に外交の場でのファッションへの注目度は高い。先の安倍昭恵夫人はさまざまな面で話題が豊富で、その行動だけでなく、ファッションについても登場するたびに賛否両論で盛り上がっていた。過去のファーストレディーがあれこれいわれがちなのは、昭恵夫人に限ったことではなく、鳩山首元相の幸夫人もスカート丈が短いだの、なんだの、服装関連の批判が多かったと思う。私が長年仕えた小泉元首相は独身だったので、ファーストレディーという存在と直接関わったことはないのだが、首相夫人の行動は政権にとってプラスにもマイナスにもなり、ますます重要になることは間違いない。

最近は夫婦が手をつないで歩くことも珍しくないようで、安倍前首相夫妻が外遊に出発するときには、手をつないで政府専用機のタラップを上るのが恒例になっていた。外国の首脳も夫婦で手つなぎというパターンが多く、米国のトランプ前大統領とメラニア夫人など、夫人が手つなぎを拒否しただけで、離婚説が世界中に広がるなど、首脳夫妻の手つなぎは注目されている。関係者の間では、菅首相夫妻も就任直後から手つなぎを見せてくれるのかが、ひそかに話題になっていた。

結論からいえば、菅夫妻が手をつなぐ姿は見られなかった。羽田空港で、真理子夫人が菅首相の一歩後について階段を上り、タラップの最上段で首相の隣に並び、見送りの人に向かってお辞儀を繰り返す姿は、古きよき日本の夫婦の姿だった。服装も写真撮影を意識した華やかなデザインのものではなく、地味な色のごく普通のスーツだった。もちろん、外交儀礼はきちんと守っていて、相手国に失礼になるようなものではない。おそらく、今回の外遊での報道を見て、日本の一般の主婦層は真理子夫人に親近感を持っていくのではないかと思う。

私は、一昔前の価値観から、女性が一歩下がっているのが良いといっているわけではない。控えめにしながらも、菅首相の服の乱れを直す場面もあったし、献花など二人が並ぶべきときには、きちんと隣に出てくる。菅首相があいさつを忘れているときに、そっと背中に触れて指摘したりして、自然体で首相をサポートしている様子に、お二人の長い歴史を感じた。ベトナムでの歓迎式典で同席したときに、初めて真理子夫人にあいさつする機会があったのだが、言葉を交わしてみると、質素な中にも品格を感じさせるたたずまいで、どんな相手にも好感を持たれる方だと確信した。私は、「これぞ日本のファーストレディーだ」と、柄にもなくじーんと感激してしまったのである。そんな私は、古い人間なのだろうか。

最初の訪問先がベトナムというのも良かったと思う。フック首相も大変な苦労人で、菅首相の経歴を見て、実際に会う前から親近感を抱いていたそうだ。私は以前から、フック首相の夫人も存じ上げているが、派手さのない普通の奥さんといった方で、真理子夫人とどこか通じるものがあるように思っていた。ベトナム訪問では、首相同士が初めての会談で意気投合したのはもちろん、夫人同士も気が合ったようだ。ベトナムでは、夫人同士が一緒の車両で移動する場面もあったのだが、他の人がいない席で、お互いの人生や過去の苦労についても話題が及び、真理子夫人が思わず涙ぐんだとの話も聞こえてきた。真理子夫人はこれからも、菅外交の秘密兵器として活躍してくれるはずである。

安倍政権とは180度違う「超現実主義」

菅内閣が発足して2カ月。携帯電話の料金値下げ、ハンコレス行政の推進と、小さいながらも着実に成果を積み上げているといった印象だ。

一般的に政治家という人種は、大きな話が大好きだ。安倍前首相は「戦後レジームの脱却」を目標に掲げたし、小泉元首相は「郵政民営化」に邁進した。小泉元首相の場合など、「郵政民営化」の実現のために、「自民党をぶっ壊す」とぶち上げて、本当に衆議院を解散し、永田町の景色を一変させてしまった。

菅首相も「デジタル化の推進」と掲げてはいるものの、その第一歩が「脱ハンコ」。身近だ。非常に身近だ。安倍前首相の最大の実績といってもいい「地球儀を俯瞰する外交」と比較すべきではないとは思うが、地球とハンコ。規模が違いすぎる。大きなことを語るのが商売といってもいい政治家が、首相就任直後にこれほど小さなところを掲げてくるというのは史上初ではないか。

私が敬愛する西川きよし師匠の名言ではないが、菅内閣は「小さなことからコツコツと」なのである。そして、そういう姿勢は日本人の感性によく合っている。「地球儀を俯瞰する」は、何かすごいとは思うが、国民生活には直接関係しないので、国民の気持ちには刺さらない。それが、脱ハンコで役所に行かずに行政関係の手続きができるようになれば、国民は「便利になった！」と肌で感じることができる。国民目線で疑問に感じることを着実に解決しながら、大きな改革へとつなげていく。

こうした菅首相の政治手法は、大きな打ち上げ花火で人々を驚かせることはしないが、線香花火のようにしみじみと日本人の心を捉えるのである。

日本の予算編成の仕組みのため、首相がかわっても政府の政策の約9割は前内閣のものを踏襲しなければならない。政権を担当する政党がかわったとしても、新政権の色を出すには、残り1割の予算をどう使うかにかかっている。振り返ってみると、自民党から政権を奪取した細川（護熙）連立政権や民主党政権は、前内閣の組んだ予算内でやりくりせざるを得ないのに、少ない予算の中で自民党との差を出すことにこだわりすぎて、財源を捻出できずに自滅した。

菅内閣が恐ろしいのは、基本的に安倍内閣を踏襲しているはずなのに、わずか2カ月で、政治経済を取り巻くムードを一新させてしまったことだ。この「小さなことからコツコツと」作戦で、永田町・霞が関から株式市場のある兜町まで、「マクロの安倍」から「ミクロの菅」への変化が行き渡り、そこで働く人々の意識が大きく変わったからだ。

菅首相がただ国民受けを狙って、ミクロな政策に取り組んでいるわけではないことは、「首相動静」に載っている幅広い面会者のラインナップからもよく分かる。特に週末にあれほどの過密日程をこなす首相を見たことがない。正直にいうと、菅内閣の参与に任命されて2カ月、首相に呼ばれてゆっくり話すという機会はまだないのだが、あまりの忙しさに私の順番はまだ先だと思っていたら、私の連載を担当している『プレジデント』誌の編集長が先に菅首相と朝食を共にする機会に恵まれた。私の知る限り、最も多忙な週末を過ごしている菅首相のある日曜日を分析したい。

2020年11月29日（日）

【午前】10時34分、東京・赤坂の衆院議員宿舎発。41分、国会着。42分、参院議長室入る。53分、同室出る。54分、参院本会議場入る。11時2分から21分、議会開設130年記念式典。22分、参院本会議場出る。23分、国会発。35分、衆院第2議員会館着。38分から50分、加藤勝信官房長官。53分、同所発。57分、東京・赤坂の衆院議員宿舎着。

【午後】0時54分、同議員宿舎発。59分、東京・永田町のザ・キャピトルホテル東急着。レストラン「ORIGAMI」で新浪剛史サントリーホールディングス社長と会食。2時から46分、岸博幸慶応大大学院教授。3時から56分、吉田正紀双日米国副社長、市川恵一外務省北米局長。4時から47分、リチャード・クー野村総合研究所主席研究員ら。5時から7時23分、中国料理店「星ケ岡」で秘書官と食事。24分、同所発。

26分、東京・赤坂の衆院議員宿舎着。

この日は午前中に国会での式典があったが、大抵は土日の午後に5組以上との会合の予定が組まれている。それも、財界人、学者、ジャーナリストなど幅広い分野の人々と意見交換を行うほか、進行中の政策に関わる役所の幹部との打ち合わせもある。分刻みのスケジュールが組まれる平日の面会と違い、それぞれの約1時間程度と比較的長い時間の会合になっているのが特徴。また、元経産官僚の岸博幸氏の名前があることからも分かる通り、政権に批判的な立場の人であっても、必要であると判断すればきちんと時間を取っていることが分かる。

安倍前首相の週末の動静を改めて読み返してみると、午前中は私邸でゆっくりし、午後から毎週おなじみの官邸スタッフと食事をするか、ゴルフに出かけるかが多かった。

安倍前首相時代の会食場所はバラエティに富んでいたが、菅首相はほとんどの場合、ザ・キャピトルホテル東急の「ＯＲＩＧＡＭＩ」。ホテル内のレストランとしては割とリーズナブルな価格で排骨拉麺（パーコーメン。台湾風のとんかつがトッピングされたラーメン）は特に有名だ。甘党の菅首相のお気に入りメニューはパンケーキ。朝はバナナなどのフルーツやヨーグルトなども食べるという。

確かに永田町の住人がよく使う店だが、首相が通うようなイメージはなかったので店側も驚いているのではないか。官房長官に就任する以前からよく利用していたそうで、首相になったからといって生活を変えないというのは菅首相らしいが、あんなに通っていて飽きないものだろうか。そんなことを心配していたら、最近はザ・オークラ東京の「オーキッド」も増えてきた。どちらも、朝・昼・晩のメニューが充実していて、仕事で不規則になりがちでもきちんと食事ができるところが実務重視の菅首相に合うのかもしれない。

菅内閣発足当時は、永田町が「早期解散か」とそわそわしていたが、コロナ感染の再拡大で、それどころではなくなってきた。菅首相は冷静に経済対策と感染防止のギリギリのバランスを取っている。われわれ日本はコロナ禍に最高の総理大臣に恵まれたと思う。野党や評論家は「天下国家を語らない」「メモを読んでいるだけ」

などと批判しているが、国民が政治に求めているのは、コロナを制して経済を回し続けることだ。その重大な仕事をいま菅義偉以外に誰に任せられるというのだろうか。

21年9月までの任期の中で、解散できるチャンスはわずかしかない。国会での予算編成中の解散はできないほか、連立を組む公明党の最優先事項である東京都議選の前後も厳しい。野党側がどうしても解散というなら正々堂々と受けて立てばいいが、立憲民主党の準備もできていない。

菅首相には衆議院の任期満了に向かって、粛々と小さな成果を積み重ねていってほしい。

「令和おじさん」からスガノミクスへ

2019年春、官房長官だった菅首相が新元号「令和」を発表したとき、私は、近い将来の首相就任を確信したものだ。

当時の世論調査によると新元号「令和」に好感を持つ人が7～8割に上り、「令和おじさん」こと菅氏の知名度も一気に高まった。産経新聞とFNNの合同調査では、次期首相に関する質問で、小泉進次郎厚生労働部会長、石破茂元幹事長、岸田文雄政調会長に続く4位に浮上した。菅長官の実力は、永田町ではすでに広く知られており、私も以前から「ポスト安倍」の有力候補として推してきたものの、国民的な人気はいま一つだった。それが、「令和」効果で、一般の国民にも菅長官の存在が浸透したといえる。

また、統一地方選では、安倍内閣を支える実力者の中で、麻生太郎副総理兼財務相や、二階俊博幹事長が深く関わった候補者が落選した一方、与野党激突となった北海道知事選で、菅長官が後押しした鈴木直道知事が当選。政権内での存在感もますます大きくなった。二階幹事長も『文藝春秋』のインタビューで、「ポスト安倍」の有力候補として名前を挙げたほどだ。このころはまだ、菅長官自身は「まったく考えていない」と否定していたが、周囲の期待は高まる一方だった。私はもっと前から期待していたが。

「平成おじさん」として親しまれた小渕恵三元首相も、「平成」の額を掲げるまでは、一般の知名度は低かった。竹下派七奉行の一人、特に竹下登元首相の側近として永田町ではその名を知られていたが、若手のころから主要閣僚を歴任して華々しく活躍した橋本龍太郎元首相や、早くから自民党の要職を務めて権力の中枢にいた小沢一郎氏らと比較すると、地味な印象は否めなかったと思う。それが「平成おじさん」となって、全国レベル、いや、世界レベルに知名度を高め、総理大臣にまで上り詰めた。そして「令和おじさん」も同じ道を歩むことになった。次の元号を発表する官房長官はどうなるだろう。

ところで、菅長官が掲げていた「令和」の額だが、内閣府の辞令専門職である茂住修身（もずみ・おさみ）氏による書だそうだ。現在、内閣府には辞令専門職は3人勤務していて、普段は辞令、叙位叙勲や表彰状などを作成している。組閣の際に各大臣に渡される辞令もみな、辞令専門職の皆さんの書だ。茂住氏は、辞令専門官として政府の文書を作成するほか、書家としても活動されているそうで、さすがに見事な書だった。

ちなみに「平成」を書いたのも辞令専門職だった。当時、担当した河東純一氏は、今回の茂住氏の元上司で、大東文化大学の先輩でもある人物。小渕元首相が掲げた「平成」の書は決定から発表までのわずかな時間で書き上げた。「平成」の書は、その後、竹下元総理の手にわたり、私邸に長く飾られていたというが、後に国立公文書館に寄贈された。この書を印刷したクリアファイルも発売され、今回の改元では飛ぶように売れたらしい。「令和」の書は今後どんな運命をたどるのだろうか。

▼「揮毫」をめぐる永田町と霞が関の綱引き

辞令専門官の仕事は、失敗は決して許されず、書家として名前を出すこともできないものをひたすら書き続ける厳しい仕事だ。河東氏が約30年間の在職期間に書いた〝作品〟は20万枚にも及ぶという。行政文書は基本的に縦書きで、墨書を必要とするものも意外に多いのだ。こうした機会に彼らのような知られざる専門職の仕事への評価が高まると非常にうれしい。政府には、一般の企業にはない特殊な技能を極めた専門職がほかにもたくさんいるので、また機会があったらこの連載でも紹介したい。

日常的に筆を持つ日本人が少なくなる一方で、政治家は揮毫（きごう）を求められる機会が多い。支援者から「色紙に一筆お願いします」と頼まれることもあるし、選挙の為書きも求められる。選挙事務所の壁にたくさんの政治家が書いた「祈必勝」の文字が並ぶので、下手な字はかなり目立つ。若手の国会議員ならサインペンや印刷でも許されるが、閣僚や党の幹部になって筆も使えないと非常に恥ずかしい。

書を嗜む政治家にとって、最高の栄誉とされるのが、庁舎や国の施設の看板に揮毫して、自分の書が長く残ることだ。

現在の霞が関の中央省庁の看板は、２００１年の省庁再編の際の大臣が書いたものが多い。内閣府は森喜朗、総務省は片山虎之助、国土交通省は扇千景、経済産業省は平沼赳夫の各氏が書いた。文部科学省は当時の町村信孝大臣ではなく書家の今井凌雪氏が担当した。

大蔵省から名前が変わった財務省では、達筆で知られた当時の大臣、宮沢喜一元首相が揮毫を固辞して話題になった。その理由として、「書は王羲之（おう・ぎし）で終わっている。役所の長く残る看板は、素人の手に合う話でない」と語ったと伝えられている。「大蔵省」は宮沢元首相が官僚として勤務した役所であり、政治の師である池田勇人元首相が書いた「大蔵省」の看板にも人一倍思い入れがあったことから、「財務省」への名称変更をよく思っていなかったという説もあるが、宮沢元首相は、自分で書くかわりに、コンピュータのフォントに注文を付けながら看板作成に関わったそうだ。その後、コンピュータフォントの看板は２０１６年、財務省の耐震工事に伴い取り外され、麻生太郎財務相が書いたものに掛け替えられた。

庁舎の看板の揮毫に強いこだわりを持ちながら、いまだに夢を果たせていないのが鈴木宗男氏だ。農林水産省は、2001年の省庁再編時にも名前が変わらなかった役所で、宗男氏の師である中川一郎氏が揮毫した看板が現在も掲げられている。宗男氏も師にならって自分も大臣になって看板を書きたいと思っていたという。そんな宗男氏が沖縄開発庁長官として初入閣した際、総理府（当時）の外局だった同庁には看板がなかった。揮毫のチャンス！だと思ったのか、すぐに部下に看板用の板を準備するよう指示し、自らはひそかに書の練習に励んだ。

ところが、同庁の担当者は「役所の看板は大臣が揮毫するもの」という慣例を知らずに、高名な書家に依頼してしまった。後日、書家の美しい文字が入った看板が届けられると、書く気まんまんだった宗男氏はがっかり。「永田町の伝統も守れない担当者は許さん」と息巻いていたが、何カ月たっても更迭人事は聞こえてこない。沖縄の実力者だった議員が宗男氏に事情を尋ねてみたら、怒って担当者を呼び出したものの、子どもが何人もいると知って、ここで自分が叱り飛ばして役所を辞めてしまったら、彼の家族が路頭に迷うと考え、許してあげたという。人情家らしい宗男氏ならではのエピソードである。

実務で日本を牛耳る「官房長官」という大権力

2020年春、中国・武漢に端を発した新型コロナウイルス感染症への対応に追われ、ギクシャクする首相官邸の片隅で私はこの危機を乗り越えることができるのは菅義偉しかいないと信じていた。

「最強の実行力を持った政治家よ、瀕死の日本をどうか救ってほしい」

菅氏を念頭において、毎日祈っていた。

そんなときに始まった『プレジデント』誌の菅氏の新連載「戦略的人生相談」が永田町や霞が関でかなり話題になった。私が同じ雑誌で連載を持っているせいか、会う人がみな菅氏の連載の話をしてくる。少しは「リーダーの掟」も読んでもらいたいところだが、これまで自分自身について語ることがほとんどなかった菅氏の連載だけに、気になるのはよく分かる。

かくいう私も最新号が手元に届くと菅氏のページから読むようになった。永田町で一番口が堅いといわれる菅氏だから、重要な政策に関わる極秘の内容をにおわせるようなことはまったくないが、人生相談への回答から、官房長官としての仕事に対する姿勢や、ものの考え方が感じられるところが非常に興味深かった。間違いなく、現代日本のビジネスマン必読の連載である。残念ながら首相就任で連載は終了したが、機会があれば再開してもらいたい。

霞が関には菅ファンは多いが、特に各省局長以上の幹部に熱烈な信奉者が多い。知り合いの次官に菅氏のどこが好きかと聞いたところ、「長官に報告したときの反応は、イエス・ノーがはっきりしている」「厳しい注文は多いが、一度賛成したことは徹底的に後押ししてくれる」などと、とにかく菅氏のもとでは仕事がしやすい、信頼できると大絶賛だった。中には「彼のもとでは官僚が安心して働ける。いままで会った政治家の中では初めて」という人までいた。

次官たちの評価のポイントが「仕事」で共通していることが、菅義偉という政治家の凄味なのではないか。私は永田町の住人になって約50年になるが、これまで見てきた歴代長官の中で、官房長官という役割を最も理解し、的確に仕事をこなしていたのは官房長官時代の菅首相だと思う。

しかし、コロナ禍が落ち着いてきたころから、政局に関わる報道が増えてくる中で「菅長官はずし」という言葉を目にするようになった。

全国一斉休校や、特別定額給付金10万円の決定の過程に、菅長官が関わっていないのは事実かもしれない。しかしそれをもって「菅長官はずし」も事実であるというのはいただけない。

首相官邸の意思決定というものは、いつも首相、官房長官以下、全スタッフが関わるわけではない。一部で決めたほうがよい場合もある。

例えば、一斉休校については、安倍晋三前首相と今井尚哉前秘書官など一部の側近で決めたといわれるが、この選択でよかったと思う。私が秘書官であっても同じようにしただろう。事前に関係省庁に根回ししたとしたら、関連組織から反対の声が上がって、休校時期が大幅に遅れてしまったかもしれない。

▼二転三転は当たり前。政策決定の裏側

今回ほど大きな施策に関わる決定ではないが、私も小泉内閣で首席秘書官だったとき、当時の福田康夫官房長官に報告せずに対応を決めたことがある。2001年5月にハンセン病国家賠償請求訴訟で熊本地裁が違憲判決を出した後で、控訴断念を求めて原告団が首相官邸に押し掛けてきたときのことだ。政府の過去の施策が違憲といわれたのだから、前例からすれば、控訴するのが当然の案件だった。しかし、元患者の方々が味わった耐えがたい苦痛や、原告団の年齢のことも考えれば、控訴断念を求める気持ちもよく分かる。政府が控訴するかはマスコミ的にも非常に盛り上がっていた。

私は、小泉純一郎首相という人の性格を考えれば控訴はしないと早くから忖度していた。だからこそ、原告団と面会した後で、控訴を断念したら、時の首相が圧力に屈したという前例が残ってしまう。それだけは絶対に避けたいと思った。それで

誰にも相談しないで官邸の門に立ち、原告団に対して拡声器で「帰ってください」とはっきりいって追い返したのである。報道では原告団の気持ちを考えない傲慢な秘書官として悪の代表のような扱いを受けたが、私としては、首相を守るために必死だったのだ。福田長官からは「報告がない」と叱責を受け、家内からも「なんてひどい！」とくそみそにいわれた。

結果としては、小泉首相は自ら控訴断念を決断した後で原告団と面会した。元患者の手を取って涙する姿は共感を呼び、また支持率がアップした。あれ以来、私には悪者秘書官というイメージがついたような気がするが、政治の世界は結果がすべてである。後悔していない。

逆に私が決定の過程からはずされたこともあった。忘れられないのは、２００１年の靖国神社参拝である。私は小泉首相から指示を受け、総裁選のときの公約通りに終戦の日の8月15日の参拝で調整を進めていた。準備も整い長野に帰省している間に、福田康夫官房長官が中国への配慮で13日に変更してしまった。私が知ったのは当日の未明で、慌てて中央高速を飛ばして東京に戻ることになったのだ。いま思い出しても悔しさがよみがえってくる。

私の思い出話はさておき、首相官邸が機能するには、目的に応じて柔軟に動けることが大切だ。首相のトップダウンで迅速に実行されることもあれば、各省庁からのボトムアップで蓄積された情報から政策決定がなされる場合もある。公にされないだけで、発表前に政策が二転三転することも実は珍しくない。

生活支援臨時給付金30万円が、特別定額給付金10万円に変わったのも、結果だけを見れば、事態の変化に応じて施策が変更されただけで、大騒ぎするようなことではない。

問題は、変更されるまでの舞台裏がメディアに明かされてしまったことだ。公明党の山口那津男代表や自民党の二階俊博幹事長の動きが逐一報じられ、政府が与党に押し切られた印象を与えてしまった。国民にとっては喜ばしい施策のはずだが、過程が明るみに出たことで、施策の効果よりも、永田町での手柄論が注目されたことが残念である。舞台裏を明かしてもいいのは、官邸にとってプラスになる局面だけだ。官邸の裏話は政権批判のタネにならなくてもニュースバリューは高い。あのスキャンダル好きな『週刊文春』でもトップで扱うだろう。右往左往している話など、マスコミの餌食になる。だから、絶対に漏らしてはいけない。

私は、一連の出来事を「菅長官はずし」とネガティブに捉えることはしたくなかった。もしも、菅氏がこの給付金の施策変更に深く関わっていたとしたら、舞台裏の事情が面白おかしく報じられることなどなかったのではないか。裏の事情が漏れたことで、逆にこの件に関わっていない菅氏の存在感の大きさを感じたのである。菅氏はいつも通り何も語らなかったが、霞が関の情報のすべてを握る長官が、この間の動きを知らなかったはずはない。敢えてはずされたままにしておいたのは、安倍前首相への忠誠心の高さ、そして菅氏の誠実さの表れだったと思う。

▼日本政治の中枢にそびえる3つの山とは

首相官邸の組織は3つの山によって成り立っている。首相を頂点とする山、官房長官を頂点とする山、官房副長官を頂点とする山である。中でも、官房長官の山は、霞が関のすべての官僚の上にそびえる最も裾野の広い山である。首相の山は一番高いところにあるが、直接動かせる部下の人数は少ないので、スカイツリーのようにとがったエンピツ山を想像してほしい。一般の人にとっては、あまりなじみのない官房副長官は、衆参両院の与党議員から政務担当の副長官が一人ずつ選ばれ、官僚出身の一人が事務担当として計３人がその任にあたる。副長官の役割もなかなか興味深いのだが、まずは、官房長官の仕事をおさらいしておこう。

官房長官は、政府内にあって「無辺」の領域を統括する役割を果たす。「無辺」。広々として果てしないことを指す。いい言葉だ。そして、官房長官の仕事の範囲を示す言葉として、これは決して大げさではないのである。

霞が関は、日本で最大最高のシンクタンクだが、内政・外交・安全保障から経済全般までそこに集まるありとあらゆる分野の情報が、すべて官房長官に集約される。各省には「大臣官房」という部署があり、その長の「官房長」は必ず次官候補が務める重要ポストだ。各省の中枢である大臣官房は、首相官邸（内閣）の官房長官に直結しており、各省の官房をどう動かすかは、官房長官の腕の見せどころである。すなわち、霞が関の官僚を動かすのは官房長官ということになる。

長官のもとに集まる情報も、各種人工衛星が撮影した映像を分析したもの、外交関係からもたらされるもの、公開された学術論文、さらには一般の報道などさまざまである。それらの膨大な情報を官僚が整理して、途中で外に漏れることのないよう細心の注意を払って官房長官に報告する。この情報の流れは一日24時間、一年365日、休むことなく続く。官房長官は、そうした情報を勘案して、官僚が立案した政策の遂行を決断し、報告を受けた首相がそれを承認する。最終的には首相が責任を負うが、仕事量としては官房長官のほうが圧倒的に多い。

このように、官房長官の権限はあまりにも大きいため、かつては首相出身派閥の腹心の部下が就任することが多かった。竹下登内閣の小渕恵三氏、宮澤喜一内閣の加藤紘一氏などが有名だろう。細川護熙内閣では、同じ党ではなかったが盟友の武村正義氏が官房長官を務めたが、この二人の対立が細川内閣崩壊の引き金となった。

経世会が日本を支配していた時代は、官房長官が力を持ちすぎることを恐れて、1~2年で交代させていた。いまでも大物長官として語り継がれている梶山静六、野中広務、青木幹雄の各元長官の任期も2年に満たないのだ。野中氏は小渕内閣で官房長官を務めた後、自民党幹事長となり、その永田町随一の情報網を背景に「影の総理」「政界の狙撃手」と評された。小泉内閣時代は「抵抗勢力」として対立することになったが、政治における情報の重要性を高めた偉大な政治家だった。

こうした歴代の長官の顔ぶれを振り返っても、菅氏の7年を超える任期が異例の長さであることがよく分かる。

▼「沈黙は金」を体現する男

官房長官はまた、集約された情報をもとに、政府の施策をどのように発信するかを決める。官房長官はよく政府のスポークスマンといわれるが、一日2回の記者会見に至るまでの情報をどのように整理するかに労力が割かれている。公式に発表されない情報を漏らさずに守り切るというのも重要だ。そして会見では、内閣の代弁者に徹し、決まった内容を淡々と説明して、決して個人の思いは明かさない。

取材した事実ではなく週刊誌の報道などをもとにして、やたらと官房長官の見解を問いただす記者が政府に批判的なメディアで持ち上げられ、映画のモデルにまでなったというが、世も末である。官邸の記者会見に出席するなら、官房長官の役割ぐらい理解しておいてもらいたいものだ。

菅氏はそうした嫌がらせでしかない質問を浴びせられても、決して個人的な思いをこぼさなかったのは本当にすごいと思う。小泉内閣時代、秘書官だった私は、福田官房長官と意見が合わないことが多く、よくお叱りを受けたものだ。菅氏は首相の秘書官や補佐官が出しゃばった動きを見せても落ち着いて彼らのフォローに回っているように見える。また、意見が分かれる政策では、記者だけでなく与野党の政治家からも攻撃を受けることになるが、菅氏の個人的な感想を聞いたことがない。

菅氏の官房長官就任後、最も風当たりが強かったのは、消費税率をめぐる攻防ではなかったかと思う。安倍内閣は、消費税率アップを公約に掲げていたものの19年10月に税率を10%に上げるまで、税率変更を2回延期した経緯があり、与党内でも断行派と延期派に分かれて大変な論争になった。最終的に税率アップを決断した際は、内閣官房参与まで務めた安倍前首相のブレーンの経済学者たちが増税反対に回り、調整にあたった菅氏は大変に苦労されたと思う。それでも、一切愚痴をこぼさず、最終的に決定された後、いつも通り淡々と記者会見で発表しただけだった。

私が長年仕えた小泉元首相は「小泉にオフレコなし」といって、常に自分の意見を公にしていた。それが国民にも高く評価されたものだ。しかし、菅氏はオフレコどころか、オンレコでも自分の気持ちは語らない。消費税増税については、内閣の要である菅氏の意見を聞きだそうと、報道各社があの手この手で取材しようとしたようだが、最後まで、賛成か反対か誰にも悟らせなかった。本当に頭が下がる。

政治家は基本的に語りたがる生き物である。誰に聞かれなくても、自分の意見を話したがる。自信がなくても「オフレコ」といって、やっぱりしゃべるのが普通の政治家だ。菅氏の場合は、あらゆることを知っていても、何も知らない顔をして、決して語らない。並の政治家にはできないことだ。おそらく、自分の仕事に自信があるからこそ、黙っていられるのだろう。

短命に終わった第1次安倍内閣で官房長官を務めた塩崎恭久氏など、安倍前首相と同期当選というオトモダチなだけで任命されたからか、オフレコで内輪の首相の発言を漏らしまくった。首相との距離の近さをアピールするだけで、政策の調整もできずに各省庁から総スカンを食らった。官房長官が官僚に嫌われたら仕事はできないのだが、自分の能力が足りないことを棚に上げて、官僚に責任を押し付けるばかりでさらに嫌われた。第1次安倍内閣と、歴代最長記録を更新し続ける第2次内閣以降の最大の違いは、官房長官の力量の差ではないだろうか。

菅氏は、歴代の多くの官房長官のように首相の出身派閥の腹心ではなかったし、野中氏のような一見して分かるすごさもなかった。加藤紘一氏や与謝野馨氏のように政策通として知られていたわけでもない。どちらかといえば地味な風貌の地方議員出身のたたき上げである。それでも、官房長官として歴代随一の実績を誇る。この情報化社会にあって、官房長官に求められる資質のすべてに当てはまっていたからである。

菅義偉は、菅義偉であり、菅義偉なのだ

2020年夏、安倍晋三前首相の体調不良のうわさが広まり始めたころ、北朝鮮に拉致された横田めぐみさんの父、横田滋さんが87歳で亡くなった。私も長く北朝鮮との交渉に関わってきただけに、めぐみさんとの親子再会がかなわなかったことは残念でならない。若手議員のころから拉致問題解決に取り組んできた安倍前首相も「痛恨の極み」とコメントを発表した。しかし、私が驚いたのは、公の場で自らの心情を明かすことがほとんどない官房長官時代の菅首相が、珍しく記者団の呼び掛けに応じて「めぐみさんを滋さんに会わせることができなくて、大変に残念で、申し訳ない。何としてもめぐみさんを日本に取り戻すという思いでこれからも頑

張っていきたい」と述べたことだ。

安倍内閣で拉致問題担当大臣も兼職していた菅氏は、日本の政治家を代表する北朝鮮問題のエキスパートである。小泉内閣時代に官房副長官として拉致問題の先頭に立っていた安倍前首相のように華々しい活躍が知られているわけではないが、衆院に初当選した当時から北朝鮮問題について積極的に発言し、2004年には万景峰（マンギョンボン）号など北朝鮮船舶を想定した「特定船舶の入港の禁止に関する特別措置法」を議員立法で成立させている。総務大臣在任中の2006年には、NHKの短波ラジオの国際放送で拉致問題を「特に留意」して放送するよう命じたこともある。このときは、マスコミ各社から報道の自由を侵害する命令だとして批判も浴びたが、日本人の生命を守るべき政治家が、放送を所管する総務大臣として当然の責任を果たしただけだと思う。

しかし、横田滋さんの死去にあたり、これまでの拉致問題の経緯が紹介されても、こうした菅氏の活躍については触れられることはなかった。官房長官として、いつものように、必要なこと以外は何も語らないという姿勢を貫いていた。

▼口が軽い人は官房長官になってはいけない

私は官房長官の条件として最も大切なのは「口が堅い」ことだと考えている。職務上の秘密を漏らさないことはもちろん、自らについても多くを語らないことが求められる。政治家は基本的に目立ちたがり屋が多いものだが、官房長官は内閣の裏方を束ねる役割であり、自分が前面に出たがるようでは失格である。

例えば、東日本大震災当時の官房長官は現在の立憲民主党・枝野幸男代表だったが、連日連夜記者会見に立ち続ける枝野氏の姿にインターネットで「枝野寝ろ」という流行語が生まれた。これは官房長官のあり方としてはよくないと思う。

多岐にわたる領域・分野の仕事を、誰がどう担当すれば適切に処理できるのか、という点を考えることが官房長官の本分である。自らが表に立つのではなく、適切に仕事を割り振ることこそが、官房長官に求められていることだ。有能な官房長官であれば、むしろ睡眠はしっかりとる。現在の菅長官も、国会答弁などで官邸を離れている場合は、官房副長官が代役を務めている。

また、政治家は自らの持論を披露するのが仕事の一つではあるが、首相と一心同体であるべき官房長官在職中は控えるべきと思う。官房副長官や首相補佐官など官邸スタッフも同様である。

小泉内閣時代の福田康夫官房長官は、口にこそ出さなかったが、小泉純一郎首相と外交姿勢が合わないことが顔に出ることがよくあった。当時は小泉首相の存在感が圧倒的で、政権運営には影響しなかったが、秘書官としては何度もヒヤヒヤさせられたものだ。次の細田博之官房長官は通産官僚出身で、その堅実な仕事ぶりは海外からも高く評価されていた。小泉内閣の最後の官房長官は安倍前首相だが、後継首相候補としての登用であり、細田元長官や菅氏など究極の裏方としての官房長官と比較するのは難しい。

当時の「安倍官房長官」の印象が強いためか、官房長官ポストを首相の登竜門のように考える人がいるようだが、間違いである。首相と官房長官では求められる資質がまったく違うのである。

もしも、小泉元首相が首相になる前に官房長官に選ばれていたらと想像すると少し怖い。持論である「郵政民営化」を主張するのを我慢できたとは思えないし、官房長官は大相撲の内閣総理大臣杯の表彰で首相代理を務めるが、素晴らしい取組を見て「感動した！」と叫んでしまっていたらと考えるだけで恐ろしい。持論を曲げず、感情を率直に表すのは、政治家・小泉純一郎の魅力だが、官房長官としてはまずい。大きな政治の方向性を示して「後は専門家が考えればいい」というのは、一国のトップとしては正しいが、行政のトップとしては困る。そう考えると官房長官になる機会がなくて本当によかったと思う。

息子の進次郎環境大臣も意見が分かれるような案件については、自らの考えを明らかにするタイプだから、官房長官にはならないほうがいい。実際に、環境大臣としても自分の持ち場以外の話題についても言及することが多い。

しかし、官房長官も副長官も自らについては語らず、首相あるいは政府の代弁者であることが求められるから、記者に囲まれて、自分の考えを語ってしまう人はそういう仕事に向かないのである。過去に無責任な評論家などが、内閣改造のたびに進次郎氏を官房長官や官房副長官の候補として挙げていたが、実現していたら、いま務めている環境大臣以上に苦労したのではないか。

将来のリーダーという意味では、官房副長官（政務）に注目したい。第2次以降の安倍内閣の歴代副長官は、加藤勝信官房長官、世耕弘成自民党参議院幹事長（元経産大臣）、萩生田光一文科大臣、西村康稔経済再生担当大臣など、副長官を務めた後に党や政府の要職についている。ちなみに、加藤氏は元大蔵官僚で故・加藤六月元農水相の娘婿となって政界入り。世耕氏は近畿大学の経営者一族の出身で親族に大臣経験者もいる二世議員。萩生田氏は市議からのたたき上げ。西村氏は元通産官僚で故・吹田愰元自治大臣の娘婿。参議院の世耕氏は別として、安倍前首相は将来の自民党を支える人材として期待していたはずだ。特にコロナ対策の重要なポジションに立っている加藤氏・萩生田氏・西村氏の3大臣は、ここが正念場だ。

官房副長官に対する一般の方の印象は、首相のぶら下がり会見の際に首相の斜め後ろに立って背後霊のようにテレビに映る人といったところだろう。確かに歴代の副長官の中には〝背後霊〟の時間に全力を傾けるような人もいたが、国会議員出身の政務副長官二人にとって本来の仕事は、衆参両院や与野党など永田町全般での情報収集や政府提出法案を円滑に可決させるための根回しである。官邸内のオフィスには、幹部の在席状況を知らせるパネルがあるが、よく働く政務副長官ほど不在が多い。

▼官房長官と官僚

同様に官僚出身の事務副長官は霞が関の各省庁において、情報収集や各種調整を担当する。その3人の副長官の上に官房長官が位置することで、永田町の政治家たちと霞が関の官僚たちを抑えている。

菅官房長官の在任日数が歴代トップなのはよく知られているが、事務副長官の杉田和博氏も第2次安倍内閣発足時から交代していない。将来のリーダー候補として、次々に新しい人材が登用される政務副長官と違い、事務副長官は政権の縁の下の力持ちとして、菅長官を支えている。警察庁出身の杉田氏は、小泉内閣では内閣危機管理監を務めた、危機管理のプロフェッショナルである。19年の皇位継承に伴うさまざまな行事や元号の「令和」決定の際には、実務面で力量を発揮していた。最近はコロナ対策で各省庁の調整に苦労されているようだ。杉田氏は7年以上もその激務を続けているが、在職日数歴代1位の古川貞二郎氏は村山（富市）内閣から小泉内閣まで8年7カ月務めている。

私はある大使の人事に関して、官房長官時代の菅首相と、杉田副長官の仕事ぶりに感心させられたことがある。前アゼルバイジャン特命全権大使の香取照幸上智大学教授は、厚生労働省で政策統括官、年金局長、雇用均等・児童家庭局長などを歴任し、介護保険法、子ども・子育て支援法、国民年金法、男女雇用機会均等法を担当し、内閣官房内閣審議官として「社会保障・税一体改革」を取りまとめた霞が関では知らぬもののない存在だ。紛れもなく厚生労働省のエースで将来の事務次官として期待されていた。私個人も、小泉内閣時代に各省庁選抜の特命チームを組織した際に、香取氏が参加して以来の付き合いである。

マスコミでは、官僚は自らの責任を負わず、出世のために忖度に徹するといったイメージで報じられることが多い。実際にそういう人間もいるが、香取氏は忖度とは縁がなかった。国民のために必要だと思えば、上司だろうが、大臣だろうが平気でかみついた。それくらい信念を持って働いていたから、年金改革も介護保険創設も成し遂げられたのだと思う。そういう香取氏を歴代の厚労大臣は評価して重用したし、官邸もその頭脳に何度も助けられた。

年金改革のときなど、当時の田村憲久大臣に代わり、年金局長の香取氏が菅官房長官と直接ぶつかることも多かった。初入閣だった田村大臣が菅氏に遠慮したのを見て口を出したというが、最初は菅氏も「大臣を差し置いて生意気だ」と気に入らなかったようだ。しかし、本音のやり取りを繰り返す中で、香取氏の分かりやすい説明と改革への熱意に政策への理解を深めて、政策の実現に向けて協力するようになったという。菅長官はその後も一貫して香取氏を高く評価している。

逆に、「自分にたてついたのが許せない」とそれほど有能な人材を事務次官にすることを拒んだのが塩崎恭久元厚労大臣である。当時は、誰が次官になったかというのはまったく問題にならず、「香取ではない」と霞が関に激震が走った。官僚たちの間で塩崎氏の評判は非常に悪い。

塩崎氏の政治家としての手腕は素晴らしいものだが、閣僚としての立ち回りには疑問を抱かざるを得ない。彼と無能ぶりを競えるのは〝自称〟ミスター年金・長妻昭氏しかいないのではないか。自称としたのは、厚労省で真のミスター年金といえば香取氏のことだからである。政治家が仕事をするには、官僚の信頼を得て協力してもらわなければ何もできないことを理解できなかった塩崎氏が陽の当たるポジションから姿を消したのも当然だといる。

話を元に戻そう。塩崎氏にクビを切られた香取氏を惜しむ人は多く、退官後も国のために働いてもらいたいと厚労省ＯＢとしては異例の大使ポストが提示された。しかし、香取氏は病気の父親の看護のため日本を離れることができなかったため、この話を断ることになった。そのとき、私も相談を受けて、官邸や外務省の知人と話をしていたことから、香取氏が大使への打診を断ったのは「飯島事案」だと、間違って伝わってしまったようだ。

その後、アゼルバイジャン大使の席が空き、再度候補者として香取氏の名前が挙がったが、なかなか決まらなかった。ある朝、私が官邸に出勤すると杉田副長官が厳しい表情で「菅長官と会ってくれ」といってきた。話を聞いてみると、香取氏の大使任命は前に「飯島事案」として取りやめになった経緯があるから、今回も同様に断られる可能性を考えると決裁できないと、菅氏が人事を止めているという。完全に誤解だった。

それ以前に北朝鮮との交渉などで菅氏に報告したことはあったが、私に対して怒りを感じている菅氏と会うのは非常に怖かった。杉田副長官から「菅さんは話せば分かる人だから」と背中を押されて長官室に向かった。

おそるおそる香取氏の父親の病気の件や、現在は快復されて問題がないことなどを説明すると、「ああ、そうなんだ。分かりました。では人事のストップを解除しましょう」と、5分ほどの会話であっさり誤解は解けた。

退官後の元官僚の動向にまで詳しい菅長官と杉田副長官の情報網に感服するとともに、少しでも納得いかない点があれば、ハンコを押さずにストップする慎重な姿勢、さらにはそうした菅長官をフォローする杉田副長官との連携も素晴らしかった。そして、相手に腹を立てていたとしても、きちんと言い分を聞いて、問題がないと納得できれば5分で誤解を解消できる切り替えの早さもすごい。あれ以来、私の菅氏への尊敬の念はさらに強まっている。

COLUMN

私が来客に「10万円のお茶」を出す理由

私が地方へ講演に行くと、主催者や私の話を聞きにきた人たちが、私に気を使ったのか、私の本を買ってきてくれて、サインを求められることが多い。

そのとき、私は「文庫なら60円、単行本なら１５０円」とブツブツとつぶやいてサインをしている。60円、１５０円はすなわち、その本が1冊売れたときに入ってくる私の印税の額なのである。

「ああ、これでタバコが買えるな」とか、数が多いときには「銀座に買い物へ行ったときの駐車場代が浮いた」などと思いを巡らしているのである。

誰に配って歩くのか分からないが、大量に本を買ってきてくれる人もいる。そういう人に対し、私はこう約束することもある。

「ありがとう。ぜひ、私のオフィスに遊びにきてほしい。書籍を買ってくれたお礼というわけではないが、オフィスでは、私の自腹で3万～10万円もする日本茶を出している。みんな、美味しい、美味しいといって飲んでくれるんだ。ぜひ、そのお茶を飲みにきてほしい」

これを聞くと、みんな、「え！」となってびっくりする。この話、実話である。安いときで3万円、下手をすると10万円もするお茶を、官邸の私の執務室では振る舞っているのである。

とはいえ少々後ろ暗いこともあるので、読者にだけ、この話の種明かしをしたいと思う。実は、このお茶、香典返しのお茶である。私は、香典を3万から10万円渡すことにしているので、そのときにもらえるお茶は、その値段ということになる。実際に、そのお金を払わねば、もらえないお茶なのであるから、10万円のお茶といって差し支えないであろう。

しかし、不思議なもので、値段をいってからお茶を出すと「うまい！」「甘みが違いますね」とみな一様にうれしそうに感想を漏らす。「まずい」なんてことは聞いたことがない。

さらには「実は妻がお茶を嗜んでおりまして」などと付け足すと、「こんなに美味しいお茶を飲んだのは生まれて初めてです」「こんな素晴らしいお茶をいただいて涙が出そうです」といってくれる人まで現れる。

私が「そうでしたか。私はこのお茶を毎日飲んでいるせいかもしれませんが、これがただの普通のお茶に思えてなりません」などといおうものなら、相手は「何をそんなに謙遜されていらっしゃるのですか。私は、生まれてから10万円のお茶など飲んだことがありません。このような日本の良質なお茶文化をもっと広めていきたいものですね」と、言下に否定するのである。

お茶の道のプロが聞いたらひっくり返ってしまうような話だろうが、多くの人にお茶の味など分からないのだから仕方がない。

もし、私の執務室に、お茶の道の師匠やその道のプロがやってきたら、何を出すべきだろうか。

ズバリ、水道水である。

お茶の道に通じている人間に、お茶などもってのほか。お茶でなくて紅茶やコーヒーであっても、きっとその鍛えられた舌で、安物であったり、インスタントであったりすることがバレる可能性があるからだ。ミネラルウオーターも安い高い、軟水硬水があったりして煩わしい。

「私は質素にやっています。だから美味しくないことが分かっていても水道水を出すことにしています」と胸を張るぐらいにして、水道水を美味しそうに飲む。このようにその道の専門家がでてきたら、競う価値観を変えることが大事だ。

ライバルがポルシェやフェラーリなどの車に乗っているのなら、「私は環境を大切にしていますから、当然愛車はプリウスですね。当たり前です。外車はエコでないことも多いですからね」と言い張ることが大事なのだ。一時が万事で、これはビジネスの世界にも通じる知恵比べなのである。

それにしても日本人は、なぜあんなにワインについてシタリ顔で話すのだろう。私には訳が分からない。

試しに、ワイン自慢の人に目隠しをして、「飲んだワインを高い順に並べてみろ」といったとして、ほとんどの人は正解など答えられるわけがない。私は、これまでの仕事人生で酒をほとんど断ってきたのだが、アルコールの入っていない冷静な状態で、ワイン自慢の人間を観察していてあることに気づいた。彼らのワインの感想は概ね2つしかないということである。

「フルーティで飲みやすい」

「ガツンときて濃厚な味わい」

この2つしかほとんどいっていない。後は飲んだワインの銘柄（「A」としよう）と、前に飲んだと主張する高級有名ワインの銘柄（「B」としよう）を並べてこういうのだ。

「この前飲んだBと比べて、こちらのAのほうが、なんというか、僕は好きです」

読者の皆さんも、今後ワインを飲む機会があったら、この紹介した3つの言葉を使ってほしい。

ちょっとした差異に気づく専門性も必要である。しかし、多くの人にとって、それは些細なこと。私はその些細な部分を犠牲にしてでも、もっと重要なことに全力を投入する人生でありたいと思う。

世の中にあふれるものに、大した違いなどないということで、もう一つ、私が最近カンカンになって怒っていることがある。

タバコのことである。

『プレジデント』誌の連載で何度も言及してきたように、私は長年「ゴールデンバット」を家でも執務室でも吸い続けてきた。しかし、日本たばこ産業（ＪＴ）は、ゴールデンバットの値上げを断行、揚げ句の果てに吸い口にフィルターをつけてしまった。ＪＴの主張だと「フィルターをつけたことで値上げした」ということなのだが、はっきりいって、値上げもフィルターも言語道断である。一般の喫煙者ですら「ゴホゴホ」とむせ返るであろうガツンとした濃厚な味わいが、フィルターなどつけたら台無しだ。タバコの繊細な味の違いなど私にとってはどうでもいいことだ。「ガツンとくるか否か」「値段が高いか否か」なのだ。このことはゴールデンバットの愛煙者の共通の思いのはずだ。

私はタバコのフィルターをわざわざハサミで切って吸い続けた。長さは3分の2ぐらいになってしまうが、私が好きな銘柄を公言していることもあって、差し入れてくれる知人たちの思いに応えたいという気持ちもあった。しかし、面倒くさいという思いがフツフツと湧いてしまい、私は一大決心をすることにした。

私は、「ショートピース」を吸うことにする。ショートピースは、まだフィルターがついていない。もし、私に差し入れしようと思う知人が近くにいるなら、もうゴールデンバットは持ってこないでほしいと伝えてほしい。もしショートピースをいただけるのなら、代わりに私は「10万円のお茶」をお出しする。

第二章 世界最強！日本人の底力

日本はいま、コロナ対策、外交問題など、さまざまな課題に直面している。しかし、日本人の底力があればどんな課題も解決できると私は信じている。

人生のピンチに強くなる「世界最強の発想法」

私が秘書を辞めて駒沢女子大学で客員教授を務めていたときの同僚で、比較政治学を専門にしている弥久保宏教授から、現役の国会議員には「政治の発想」が欠けているという話を聞いた。弥久保教授と田中角栄ファンという共通点もあり、政治の課題についてよく意見を交わしたものだが、コロナ禍の危機に立ち向かうリーダーに必要な資質として「政治の発想」というキーワードを思い出した。

▼いまこそ政治家の資質を問いたい

予算委員会で答弁に立つ大臣たちは、官僚がつくった想定問答に従っているか、多少気が利いていたとしても、自民党の政務調査会あたりで少し肉付けした内容を話しているだけだ。想定外の質問が来ると、無理に自分の言葉で答えようとして問題発言が飛び出してしまい、陳謝する羽目になる。

野党も似たようなもので、内閣にケチをつけるだけで、自分たちの政策で国民を幸せにするという提言がない。問題の根本に目を向けることなく、印象操作でメディアの前で大騒ぎするだけだから、何も改善されない。最近の国会論戦からは、この国をどんな方向に導きたいのかというビジョンがまったく感じられない。

せめて「自分の選挙区を発展させたい」くらいは考えていてほしいものだが、弥久保教授は、小選挙区制導入の弊害だと分析していた。中選挙区時代は、与党の自民党から3～4人が立候補して切磋琢磨し合い、選挙区を熱心に回って他の候補者より一人でも多くの有権者の意見を聞こうとしていたが、それが地元への利益誘導という悪い面だけがクローズアップされるようになった。

そして、改善策として小選挙区制が導入されると、選挙区事情に関心がない落下傘候補でも、選挙のときに評判がよい政党の公認候補であればブームで当選できるようになってしまった。

それぞれの制度に一長一短はあるものの、政治家の能力向上という点を重視するなら、中選挙区に戻すことを考えるべきだ。

安倍前首相が民主党政権のことを「悪夢の3年半」とよくいっていたが、まさにその通り。岡田克也氏が国会で悪夢発言を撤回しろと前首相に迫っていたが、そんなことを国会で取り上げるから国民にあきれられるということを自覚すべきだ。そして、既存の政治家に対する閉塞感が高まると米国のトランプ前大統領のようなリーダーが登場する。それも民主主義の結果だとはいえ、政治家を選ぶ有権者の側も考えなければならない。

最近は、候補者選考で学歴や若さといった条件が重視されて、政治家としての資質が問われなくなっていることが嘆かわしい。与野党ともにパワハラ、セクハラ、金銭問題などで若手議員の離党、辞職が相次いでいることが、資質を軽視したことの証左となっている。

田中角栄元首相は、学歴はなくても徒手空拳からのたたき上げで20代のうちに衆議院議員になって、議員立法を何本も成立させた。角さんほどでなくても、菅義偉首相も当選1回目からその政策能力の高さで注目されていた。高卒で上京して段ボール工場に就職したものの、一念発起して大学に進学。サラリーマンを経て議員秘書、地方議員とステップアップして衆院議員へという人生経験が政治家としての基盤になっている。

▼田中角栄のロールモデル「西潟為蔵」に学べ

弥久保教授が研究している明治時代の政治家に「西潟為蔵」という方がいる。1890年の第1回帝国議会衆議院議員選挙で当選した自由民権派の代議士で、角さんと同じ新潟出身。自由民権運動では板垣退助に伍するくらいの人物だと評価する研究者もいるという。

西潟は、明治初期に新潟で政党を立ち上げて、集会、言論、出版の自由を求めて活動するなど、全国的に民主主義を根付かせるのに大いに貢献する一方、常に地域住民の生活に寄り添い、陽の当たらない彼らの声を聴いて、その要望を実現するために寝食を忘れて尽力した。

西潟はまた、「道路は住民の命をつなぐもの」という信念を持っていて、新潟県三条市と福島県の会津地方を結ぶ八十里越といわれる山道を県道として整備したことは地元では有名。この道路は現在も国道289号線として山間部の住民の生活を支えている。天皇の行幸や軍事目的の道路が最優先だった明治時代に、政治家が国に訴えて庶民の生活道路をつくるというのは異例中の異例だったという。

弥久保教授は角さんの道路に対する政治哲学は西潟をモデルにしたのではと分析していたが、私も同感だ。国会議員は国家の将来像を語ることも大事だが、地域住民の要望を中央政府に伝えることも重要な役割だ。角さんも、故郷の新潟を雪から解放したいという気持ちから、あれだけのことを成し遂げた。政治家の知恵を生かして、行政とは違うアプローチで、日本のインフラをこれだけ充実させた。現代の日本では、「利益誘導」「地域エゴ」と批判の対象になるだろうが、国土の均等的な発展なくして、東京をはじめとする大都市の発展もなかった。

昔、角さんは政治家志望者に「戸別訪問3万軒、辻説法5万回」のノルマを課したことはよく知られている。選挙区と選挙区の住民をよく知るということから「政治の発想」が生み出される。有権者の側も、政治家を通して国とのつながりを意識できれば、イメージでなく実力重視で投票するようになるはずだ。

日本一のスマートシティが長野の山奥に誕生した舞台裏

菅義偉首相の所信表明演説は素晴らしかった。マスコミは例によって「学術会議問題に触れていない」とか「言い間違いがあった」などと批判しているようだが、所信表明演説とは総理大臣が就任後初めて国政に対する自らの考えを明らかにするものであって、野党やマスコミの批判に応える場ではない。本当にどうでもいい。「菅内閣がどんな政策に取り組むか」という点に注目して改めて演説を聞いてみると、「いつまでに何をやるか」を明確にしていることがすごい。実務家らしい菅首相ならではの演説だったと思う。

演説のトップがコロナと経済への対策というのは当然として、2番目に採り上げられたのが「デジタル社会の実現」だった。「役所に行かずともあらゆる手続ができる。地方に暮らしていてもテレワークで都会と同じ仕事ができる。都会と同様の医療や教育が受けられる。こうした社会を実現します」という言葉に、菅首相の意気込みが感じられた。

菅義偉ウォッチャーを自負する私は、この後の部分に真の狙いがあると感じた。「各省庁や自治体の縦割りを打破し、行政のデジタル化を進めます」というところだ。デジタル化を切り口とした省庁再編だ。経済産業省、総務省、文科省などの情報通信関連分野を担当する部署は戦々恐々としていることだろう。

しかし、単純な意味でのデジタル化そのものも進めていかなければならない。日本、特にお役所におけるデジタル化が諸外国に比べて遅れているのは紛れもない事実だからだ。

一般に、デジタル化といわれて思い浮かぶのは、マイナンバーのデータなどを基に国民の情報を管理する大きなスーパーコンピュータや、千葉県柏市の「柏の葉スマートシティ」、静岡県裾野市でトヨタ自動車を中心に計画が進められている「ウーブン・シティ」に代表されるような、最新のＩＴ設備を備えた新しいビルが並ぶ実験都市だと思う。

▼世界最先端のド田舎

しかし、私の知る限り、日本で一番デジタル化が進んでいるのは、長野県伊那市である。そこに広がる風景は、昔ながらの里山のままで、新しいビルなど一つもなし、スーパーコンピュータなんて夢のまた夢といった雰囲気なのだが、目を凝らしてみると、ドラマ「下町ロケット」にも登場した自動運転トラクターが走っていたり、物流、農業、林業など、さまざまな目的に使われるドローンが飛んでいたりする。

農業関連では、「直線キープ機能付き田植え機」「リモコン式草刈り機」「自動給水栓」「収量・食味センシング機能搭載コンバイン」「白ネギ自動収穫機」など、まさにデジタル化を象徴するような最新技術が実証段階まで進んでいる。農作物の生育管理用のドローンも導入された。しかも、これらの機械関係も含む農業経営全般はクラウドにより一括管理されている。

農業だけではない。近年、従事者の高齢化で深刻な担い手不足に陥っていた林業の分野でもスマート化を進めている。こちらは市内の広大な山林を管理するためドローンが大活躍している。人手不足による間伐未実施が原因で荒れている山林や、害虫害獣による被害範囲なども、ドローンによる撮影で特定できるようになる。特に被害が深刻なニホンジカについては、GPSやサーモグラフィで追跡調査を行っている。間伐材を使ったバイオマス発電の計画もあり、エネルギーの地産地消もめざしているという。

驚くべきことに、つい最近ニュースで実験開始などと報じられていたドローン配送が伊那市では2020年8月から実用化されている。この点も伊那市は全国の先を行っている。

同市とKDDI、伊那ケーブルテレビが共同で運営している「ゆうあいマーケット」は、中山間地域に住む高齢者など、日常の買い物が困難な人を対象にしたサービスだ。ケーブルテレビのリモコンを使って100以上の商品から買うものを選択すると、ドローンで近くの公民館まで届けてくれる。公民館まで受け取りに行けない場合は、ボランティアが公民館から自宅まで配送するという。すべてテレビのリモコンで操作できるので、ＰＣやスマホを使わないお年寄りでも容易に使える。デジタル化を目的としたデジタル化ではなく、ユーザーフレンドリーをしっかりと追求している点が素晴らしい。

これも、都会と違ってドローンの飛行に障害となる建築物が少なく、発着に適した広い土地があるから実現した面もあるだろう。

まだある。ＡＩを使ったバスの最適運行やタクシーの自動配車などの「インテリジェント交通」だ。地方の公共交通機関は、過疎化による利用者減少で経営が困難になる一方、一人での移動が難しい高齢者は増加しており、生活インフラとしての存続が求められるなど課題は多い。

伊那市では、最新のＩＴを活用してバス会社やタクシー会社が最小限の台数で効率的な輸送を行うことで、地域住民の足も確保することに成功した。市内に3社あるタクシー会社の経営はみな順調だそうだ。

中山間地域においては高齢者の移動というのは非常に大きな問題なので、伊那市では「モバイルクリニック」も始めている。看護師のみで医師が乗らない移動診察車による遠隔医療サービスで、専用車両にオンライン診察の設備を搭載して、予防・検査・診断・投薬・治療・予後管理まで、自宅で医療サービスが受けられるという。ただ、現在の診療報酬の制度に想定されていないサービスのため、収入を得るのが難しく、国の対応が求められる。

教育分野ではコロナ禍になる前からリモート授業は実施されていたし、中央官庁が慌てて取り組んでいる行政手続きのデジタル化も一通りそろっている。伊那市は山間のスーパースマートシティなのだ。

下世話な話だが、これだけ先進的な取り組みを行うのに、いくらかかったかが気になって市役所に聞いてみた。すると、政府のＩＴに関わるありとあらゆる助成金やモデル事業に応募しまくって、獲得した予算をつなぎ合わせて日本一のスマートシティが完成したという。つまり、市の財政にはまったく影響がない。安倍内閣時代の地方創生の予算も伊那市のデジタル化にかなり投入されているそうだ。

伊那市のデジタル化は、白鳥孝市長と、担当部長が二人三脚で進めてきたそうだ。

二人でアイデアを出し合って、地方版スマートシティの先駆けになった。いまでは「伊那市新産業技術推進協議会」が設立され、官民一体となって、取り組みが進んでいる。

参加企業も、ＮＴＴ東日本、ＫＤＤＩなどの大手通信会社、ソフトバンク、サイボウズといった有名ＩＴ企業、メーカーではクボタや沖電気、運輸系ではＪＲ東日本といった国内有数の大企業のほか、ソフトバンクとトヨタが新時代のモビリティのために設立したモネ・テクノロジーズも参加している。

都会で開発が進む「スマートシティ」は、人間がデジタル化にあわせて生活を変えなければいけないような気がするが、伊那市の事例は、従来の生活を守るために、デジタル技術を利用するものだ。菅内閣が進めるデジタル化の理想がここにあると思う。

日本や北朝鮮が核放棄と核保有を同時に達成する方法がある

安倍晋三前首相は「地球儀を俯瞰する外交」を掲げ、活発な首脳外交を展開した。在任期間が長かったこともあるが、外遊の回数も歴代トップだ。これも、官房長官だった菅義偉首相に留守を任せることができたから、安心して海外に出られたということもあるだろう。これからは菅首相自らが外交も担当することになる。安倍内閣時代から継続する外交課題もまとめておこう。

毎年秋は外交日程が増えるが、２０１８年は驚くほど首脳会談が多かった。９月下旬、安倍前首相は総裁選で3選が決まるとすぐにニューヨークの国連総会に出発。米国のトランプ前大統領のほか、イラン、韓国、トルコの首脳と2国間会談を行った。米国から帰国して組閣を済ませると、今度は東京で日・メコン地域諸国首脳会議（日本）を開催。期間中にベトナム、カンボジア、ラオス、タイの各国首脳と会談している。その次に欧州歴訪。スペイン、フランスに加えて、ＡＳＥＭ（アジア欧州会合）首脳会合のためベルギーを訪問した。そして、日本の首相として7年ぶりの中国訪問。中国から帰国するとすぐにインドのモディ首相を山梨県で歓待している。これがわずか1カ月間で実施されたスケジュールだ。

小泉純一郎元首相の時代も外交日程がぎっしり詰まっていたが、ここまでの数ではなかった。安倍内閣では、首相だけでなく、財務、外務、経産の各大臣が、担当分野の国際会議に精力的に出席している。この要因には、近年の国際社会の変化がある。かつての外交問題は、大抵の場合、2国間会談で解決できていたのが、最近では、地域の合同会議や、さらに地球規模の国際会議など、多国間の会議が増えてきた。そうした会議の前には、関係国との事前調整のための2国間会談も必要になるから、会議はどんどん増えていく。

そうした状況の中で、日本国内閣総理大臣の在任期間が長いことによる、国際社会からの期待と信頼がどれほど大きく、リーダーシップを発揮できているかということを、日本の国民はもっと知ってもよいと思う。

安倍前首相の存在感を高めたのは、なんといっても2018年のカナダでのG7だ。トランプ前大統領と日本を除く5カ国の対立が激しく「共同声明の発表は不可能である」と断定的に報じられるほどだったが、トランプ前大統領が議長国のカナダのトルドー首相ではなく安倍前首相に対して「シンゾー、任せた」と取りまとめを依頼したことから、土壇場で共同声明の発表にこぎつけた。

これほどの活躍は日本の総理大臣としては空前絶後の快挙である。安倍前首相は、国際協調に欠かせないキーパーソンになった。国連総会など参加国が多い会議になると、安倍前首相と言葉を交わしたい各国の首脳が行列をつくったものだ。「それがどうした」などと揶揄する識者もいたが、それがどれほどの恩恵を日本と世界にもたらしたかを考えてほしい。

トランプ前大統領の米国中心主義が、安全保障面でも貿易経済面でも世界中の至るところで物議をかもしている現状も、安倍前首相の存在感を高めることにつながっていた。シリアやイランをめぐる問題においても、米国と対立するロシアやトルコとの間を仲介できる世界でも数少ない存在だといえる。よその国同士の対立など日本人には関係ないという人もいるかもしれないが、不安定な中東情勢が石油価格の高騰を招いており、日本の首相が関係各国に働きかける力があるというのは、国民の生活にとっても重要なのだ。また、経済面においては、米中貿易摩擦の緊張が高まっていることも大きな課題だ。こうした状況の中で安倍前首相の訪中も行われた。このときの日中会談への評価はいろいろあるようだが、「自由で公正な貿易体制の発展」において合意できたのは、米国との関係改善について安倍前首相を頼りたい中国側のメッセージだったのかもしれない。

▼安倍政権のレガシー、北朝鮮問題

自民党総裁任期3期目に入った2018年秋、安倍前首相が後世に伝えるレガシーとは何だろうか、と考えていた。世間では憲法改正やロシアとの平和条約締結に注目が集まっていたが、私は、安倍前首相の原点である拉致問題、つまり北朝鮮

問題の解決に期待していた。結果として、拉致問題は解決できないまま前首相は辞任されたが、日本における北朝鮮の問題は主に拉致と核であるという事実は変わらない。日本特有の問題である拉致と、国際社会全体に影響が大きい核兵器との違いはあるが、両者は密接に関わっている。

米朝会談の実現で大きく前進したといわれる核問題だが、解決にはこれから長い年月がかかる。ＩＡＥＡ（国際原子力機関）の査察などが関わるため解決には最低でも5年、長くて10年は覚悟しなければならない。しかし、日本で待つ拉致被害者家族の年齢を考えても、拉致問題にそんなに時間はかけられない。だからこそ安倍前首相は当時、菅長官を拉致問題担当に任命したのだろう。日本が拉致問題を早期解決に導けば、核問題を扱う米朝交渉にもよい影響があるはずである。

一方、核問題解決に向けては、そもそも北朝鮮が核開発に取り組んだのは自国の安全保障のためであるという事実を忘れてはならない。１９６２年のキューバ危機で、ソ連がキューバからミサイルを撤去させたのを目の当たりにした当時の金日成氏が「いざというときにソ連は守ってくれない」とショックを受けて、自国での核ミサイル開発に走ったのがそもそものきっかけだ。その思いが孫の金正恩氏にまで受け継がれて今日に至っている。

他方、日本からすれば、北朝鮮の核保有を容認するのは絶対にできない。米国も日本と同じ立場をとっている。そこで起きているのが、現在の膠着状態なのである。

しかし、私が考える以下の方策を使えば、完全に丸く収まる。北朝鮮は、「米国から核攻撃を受けない」ための抑止力が与えられれば、核開発から撤退する。米国が「攻撃しない」と保証しただけでは安心できないからだ。

そこで、核保有国となった中国が北朝鮮国内に基地を設置して核ミサイルを配備すればよい。これで、在日米軍も在韓米軍も現状維持、中国の人民解放軍の持っている核ミサイルを1発だけ北朝鮮国内に配備すれば、すべてが現状維持のまま、北朝鮮は在北人民解放軍による核の傘に入ることになる。米国が北朝鮮を攻撃した場合には中国が報復処置をとることになる。一方の米国は北京や上海への攻撃力だけ持っていればいい。実は、米国の傘に入っている日本にも同じことがいえる。核シェアリングというこの方法を広げることで、極東地域に安全をもたらそう。

「徴用工問題」韓国に断固たる制裁を!

前節で紹介した「朝鮮半島核シェアリング論」は、連載で書いた当時、大きな反響をいただいた。核保有国である中国が北朝鮮国内に基地をつくり、核ミサイルを配備する「核シェアリング」で北朝鮮の核問題を解決する方策だ。北朝鮮は核を放棄し、中国が北朝鮮国内に核ミサイルを配備することで北朝鮮の核放棄と核配備を同時に達成してしまおうというものだ。北朝鮮が中国の核の傘の下に入ることで、在日米軍、在韓米軍と対峙し、極東アジアの軍事バランスはすべて現状維持のまま、事態の打開を図るのだ。

北朝鮮は独裁政権であり、反米・反日的ではあるものの、途中で立場をコロコロと変えずに同じ主張をし続けている。現時点で膠着状態にある北朝鮮との日米の外交交渉は、今後進んでいくのではないかと期待しているところだ。

しかし、これで朝鮮半島は安泰かというとそうではない。一向に世情が安定しない韓国という国の存在だ。政権が交代するたびに政治姿勢がコロコロ変わり、その時々で、反米と親米がすぐに入れ替わる。反日ということだけはブレないが、支持率が落ちるたびに、激しさは増す。

政権が代わらなくても、国内で政権に不利な状況が起きるたびに、外交上の約束を平気で反故にする。安全保障上の信用がまったく持てない。

２０１８年10月末、韓国の最高裁にあたる大法院は、第２次世界大戦中の強制労働を理由に新日鉄住金（現日本製鉄）に対して、韓国人の原告４人に、計４億ウォン（約４０００万円）の支払いを命じる判決を下した。いわゆる徴用工裁判と報じられているものだが、今回の原告４人は徴用されたことはなく、企業側の募集に応じて日本に働きに来ただけで、そもそも徴用工ではない。日本政府も「旧朝鮮半島出身労働者」で呼称を統一している。

もしも、原告たちが本当に徴用されたのであったとしても、日本企業には支払う義務はない。1965年の日韓国交正常化の際に締結された日韓基本条約及び日韓請求権協定で解決済みだからだ。請求権協定には、日本が韓国に対して計5億ドルの資金協力をする代わりに「両国及びその法人を含む国民の財産、権利及び利益、並びに両国及びその国民の間の請求権に関する問題は完全かつ最終的に解決する」(要約)と明記されている。

個人への補償については、韓国政府が行うことになっていたのだが、当時財政難に陥っていた韓国政府は、日本からの資金を開発資金として流用してしまった。それが「漢江の奇跡」と呼ばれる復興につながったのだが、韓国政府はその事実を国民に伝えなかった。だから補償を受けるべき個人への支払いを滞らせたのは韓国政府であって、日本政府ではないのである。これは慰安婦問題も同じ図式だ。国民に真実を伝えないばかりか、内政に行き詰まるたびに反日をあおって国民の目を逸らそうとするやっかいな隣人である。

▼不可逆の約束を平気でひっくり返す

私は日本という国は世界で最も律儀な国だと思っている。韓国との関係においても、国際法的にはすべて解決済みにもかかわらず、韓国に何度も支援の手を差し伸べてきた。慰安婦問題についても、村山内閣時代の95年、フィリピン、台湾、インドネシア、オランダ、そして韓国の元慰安婦への支援のため、アジア女性基金という財団をつくり、一人あたり計500万円相当（韓国の場合）の〝償い金〟を支払っている。財団はその役割を終えて2007年に解散した。

これで一応、慰安婦問題は解決したはずだったが、なぜか韓国だけが10年もたたないうちに、慰安婦問題を蒸し返し、韓国国内外に慰安婦像の設置を始めた。日韓関係が決定的に悪化するのを避けるため、米国のあっせんで外相同士が対話して、15年12月、韓国政府が元慰安婦支援のため設立する財団に日本政府が10億円を拠出することなどを条件に、日韓間の慰安婦問題の最終的かつ不可逆的な解決を確認したのである。「不可逆的」としたのは、韓国に何度も裏切られた過去の経験を踏まえてのものだったが、やはり、合意は守られなかった。ソウルの日本大使館前の像も撤去されず、米国でも像の設置を続けている。韓国の反日活動家は、よほど銅像を建てるのが気に入ったのか、最近では徴用工の像まで建て始めた。しかも、日本人労働者の写真を間違えてモデルにしたというからあきれる。

北朝鮮も銅像を建てるのが好きな国であるし、銅像の設置は民族的特性かもしれない。文在寅大統領になって、慰安婦支援の財団の解散も決めた。それならそれで構わないのだが、日本側が拠出した10億円を返す様子が見られない。

これまで挙げた例を見ても、おかしいのは日本ではなく韓国であることが誰でも分かるだろう。もういい加減、日本は韓国に対して思い切った行動をとる時期に来ている。当時の河野太郎外相は、歴代外相の中では強硬な姿勢で臨んでいたが、それであの国に対して伝わったかというと心もとない。

一般的に外交交渉が暗礁に乗り上げたときに、国家が最後にとる手段が戦争である。どの国も最終的には戦争も辞さないという覚悟で外交にあたり、自国の利益を主張するものだが、日本は戦争を放棄している。

では何ができるのか。

まず、竹島問題でもやったことだが、徴用工問題についても国際司法裁判所に訴えることだ。国際司法裁判所の問題は、当事国が同意しなければ裁判にはならないことで、竹島のときも韓国の裁判拒否で白黒をつけることができなかった。しかし、国際社会に対して、韓国がまともな国ではないことを知らしめるという効果があるから今回も訴えるべきだ。

また、拉致問題で北朝鮮に対して実施したような独自の制裁措置についても検討すべきだろう。北朝鮮に対して行ったのは、朝鮮総連幹部の渡航禁止や、物流上の制限などだ。細かいところでは、朝鮮学校生徒が修学旅行で北朝鮮を訪問した際にお土産の没収なんてこともやっていた。さすがに中高生のお土産を取り上げるのは非人道的ではないかと私が指摘したので、お土産は生徒に返されたが、断固たる姿勢というのはそれぐらいでなければ伝わらない。

日本の法律の範囲でも、できることはたくさんある。

① 韓国に対するビザ免除措置を取りやめ、入国審査で荷物検査を徹底する。韓国からのニセモノのブランド品などの持ち込みが多いことは知られており、むしろい

ままでやってこなかったことが問題だ。現金の持ち込みも20万円以下なのかどうかもきちんと精査すべきだ。

② 韓国学校への補助金を、北朝鮮学校と同等に打ち切り、固定資産税もしっかり徴収する。

③ 韓国企業への税務調査を徹底すること。脱税の温床といわれるパチンコ業界にもしっかりメスを入れるべきだ。

約束を破り続ける韓国に対しては、断固たる姿勢を取る必要がある。

韓国大統領に贈る「リーダーの掟」

リーダーの存在がいかに大切かということは、韓国を見るとよく分かる。あの国では大統領が交代するたびに、国と国との約束事がチャラになる。合意に達したはずの問題が、政権交代のたびにゼロからのスタートになる。歴代大統領のほとんどが在任中あるいは退任後に汚職疑惑の追及を受け、本人か身内が逮捕される。およそ国家としての体をなしていないのである。

文在寅大統領が就任してから日韓関係はさらに悪化している。慰安婦問題合意の破棄、レーダー照射、徴用工判決と国際法や外交関連に反する事例が次々に発生し、竹島の問題も継続中だ。

「日本海」の名称にも言いがかりをつけてくる。これらの問題に何一つ客観的証拠を提示しないまま、世界中に慰安婦像や徴用工像など訳の分からない銅像を建て続け、現実を直視しない。

私が政府顧問と大統領顧問を務めているウガンダにも、韓国が例の慰安婦像を建てようという動きを見せているという連絡があったのだが、なぜアフリカなのか、なぜウガンダなのかまったく分からない。

慰安婦問題は朝日新聞が歴史的事実とは異なる情報を流布し、韓国がそれを大きく騒ぎ立てたことが問題を複雑にした。日本政府は村山内閣時代のアジア女性基金を通じた支援、15年の慰安婦合意による10億円を拠出と誠実に対応してきた、いつも約束を守らないのは韓国の側である。慰安婦合意破棄の際、10億円は韓国政府が全額立て替えて返すとしていたが、いまだに戻ってきていない。そのうえ、2021年1月には、ソウル中央地裁が、元慰安婦らが日本政府に損害賠償を求めた裁判で、慰安婦一人当たり1億ウォン（950万円）、総額12億ウォン（1億1400万円）の賠償を命じる判決を出した。国家は外国の裁判権に服さない「主権免除」が認めた国際法を無視した異常な判決で、もう訳が分からない。

私は、韓国に考え方を改めてもらうには、ベトナムに協力を求めるべきだと考えている。韓国はことあるごとに慰安婦問題を持ち出すが、ベトナム戦争に派遣された韓国兵が現地で婦女暴行を繰り返した事実については口をつぐんでいる。旧日本軍の慰安婦は仕事として兵士の相手を請け負っていた女性だが、韓国兵は一般の婦女子を襲っている。そこで生まれた子どもがベトナムで差別の対象になるなど社会問題化しているのだが、ベトナムは国際社会に訴えることなどしないで我慢している。韓国は自国兵士が他国で何をしたかを省みるべきだ。

戦後の教育で旧日本軍は悪辣な印象を植え付けられているが、パプアニューギニアやパラオなど太平洋の島国では、いまだ日本統治時代を懐かしむ人も多い。その理由の一つが日本兵による女性の暴行事件がなかったからだという。現在の沖縄を見ても分かるが、その後の米軍駐留時代はそうした事件が頻発したそうだから、旧日本軍の規律の厳しさがよく分かる。従軍慰安婦の存在は、現代の人権意識から見れば許されないのかもしれないが、彼女たちがいたからこそ、一般の島民に被害が及ばなかったといえる。

韓国側が徴用工だと騒いでいる事案にしても、日本企業の募集に対して、当時日本の一部だった朝鮮半島からも応募があり、履歴書の提出や面接など通常の手続きを経て採用されたものだ。証拠はたくさんある。

こういう状況下で、日本政府は半導体製造に必要なフッ化ポリイミドとエッチングガス（フッ化水素）、レジストの3品目について、輸出管理を包括的な許可から個別審査に切り替えることを発表した。別に禁輸ではない。軍事転用可能な物資の流出が懸念されるなど韓国の輸出管理に安全保障上の問題があるので、これまでのホワイト国としての優遇処置をやめて、一般の手続きを求めるようにしただけである。これは、台湾やＡＳＥＡＮなど日本に友好的な国々と同様の待遇である。日本政府としては、日本企業から輸出された製品が韓国からテロ支援国などに流出するのを防ぐという国際社会のルールに従い、輸出管理を本来の形に戻しただけである。

▼韓国の輸出管理は1100品目管理へ

今回の規制対象となった3品目は韓国の主力産業である半導体製造に欠かせない素材だ。冷静に考えれば、自国の輸出管理を徹底できれば、規制解除されることが分かるはずだ。

今回、規制の対象となったのは3品目だが、日本が輸出管理の対象としている品目はまだ1100以上ある。これについても「優遇」をやめて、個別審査に切り替え、1品ずつきちんと審査をしてから輸出を許可すればよい。申請から許可まで原則90日程度かかるが、それがそもそものルールだ。

韓国は自国の状況を分かっているのだろうか。東日本大震災発生後、東北地方沿岸部にある自動車部品、鉄鋼製品など多岐にわたる分野のメーカーの製造拠点が操業できなくなったことがある。そのとき、海外で最も大きな影響を受けたのが韓国企業だった。韓国の産業は日本製の素材や部品で成り立っていることはすでに証明されているのだ。文大統領のいうような「日本経済のほうが大きな影響を受ける」などということはありえないのである。

長野オリンピックの誘致をしていたときも、北朝鮮は「長野」へ票を入れてくれる中、中国・韓国はライバル都市に投票した。東京オリンピックを決めたアルゼンチン・ブエノスアイレスでの採決でも同じことが起きた。

世界中で日本の悪口をわめき散らす一方で、都合のいいことだけは協力しろという韓国よりも、北朝鮮のほうが私は交渉相手として信頼が持てる。徹底した「優遇処置」の排除が必要だ。

「ビザなしでの日本入国」という優遇も取りやめたらよい。現在は新型コロナウイルス感染症の影響で一般の観光客の往来は途絶えているが、2018年には訪日韓国人は750万人を突破（訪韓日本人は約295万人）した。入国再開時にビザの申請を義務づけるようにすれば、駐韓日本大使館前にはものすごい数の行列ができるだろう。そのときに日本大使館の前に立てられた慰安婦像が視界に入れば、さすがの韓国人も「なぜ、いま、うんざりするぐらいの行列に並ばなければならないのか」という理由がどこにあるのかが理解できるのではないだろうか。

いましかない
拉致問題解決に秘策あり

気になるニュースがあった。韓国のソウルの日本大使館前に設置された〝慰安婦像〟で28年間毎週水曜日に続けられてきた慰安婦問題への抗議集会が、２０２０年夏、初めて中止されたという。

元慰安婦の代表格とされる李容洙（イ・ヨンス）氏（91歳）が、支援団体の「日本軍性奴隷制問題解決のための正義記憶連帯」（正義連）の尹美香（ユン・ミヒャン）代表から「だまされた」と告発したことが発端。韓国が一方的に破棄した２０１５年の慰安婦問題日韓合意についても、元慰安婦は日本政府が拠出した10億円の存在すら知らず「もらいたかった」というのだ。その後、同代表が正義連への寄付を横領して不動産購入に充てたなどの疑惑も浮上。代表側は疑惑を否定しているが、検察の家宅捜索を受けた慰安婦支援施設の所長が自殺した。

支援団体が元慰安婦を本心からいたわりたいという気持ちで活動していたのであれば、横領なんてできないはずである。これまでも元慰安婦の証言は怪しいという指摘があったが、元慰安婦を「聖域」とする韓国ではまったく追及されなかった。すでに朝日新聞も強制連行に関する誤報を認めていて慰安婦問題の前提となる事実関係は揺らいでいる。支援団体も知っていることがあれば明らかにしてもらいたいものだ。

それにしても、お金の問題で内部分裂というのは、韓国らしいニュースである。

韓国の大統領は、初代の李承晩氏から現職の文在寅氏まで12人。暗殺された朴正熙氏と暗殺事件後に就任して8カ月の短命政権に終わった崔圭夏氏を除く10人が、収賄や不正蓄財などに関わり、本人または家族が有罪となっている。ここまで続くと、国のトップが法律を守らないのが韓国の常識ではないかと思えてくる。

最近、英国の公共放送（ＢＢＣ）がベトナム戦争に派遣された韓国兵による現地女性への性的暴行事件の特集を放送した。その結果生まれた子どもは5000〜3万人に上るともいわれ、ベトナムでは「ライダイハン」の蔑称で差別されているという。

この「日本に謝罪を求めておきながら、自国のした行為は認めない」という韓国の姿勢に批判が高まっている。形式的には日本軍が報酬を支払って合意の上で雇った慰安婦とベトナムで突然襲われ望まぬ妊娠を強いられた一般の娘さんたちを一緒にされるのは微妙だが、日本が長年悩まされてきた問題が国際的にようやく知られてきたかという気がする。

ベトナム戦争における韓国軍は、女性への性的暴行だけでなく、村の100人以上の住民をほぼ全員虐殺した例が何件も明らかになっている。私も気になって資料を集めているが、ベトナム戦争時の韓国軍の残虐ぶりは際立ってひどい。南京事件以上の悲惨さだ。現地では米軍より韓国軍を恨む人も多いというが、韓国政府が公式に謝罪したことはない。

あの国を相手に、法律や人権といった普遍的な常識に基づいて交渉するのは難しいのではないかと考えている。竹島問題で日本が国際司法裁判所で法の下で決着をつけようと提案しても、韓国はまったく応じない。国際司法裁判所というところは、当事者同士が合意しないと裁判が開かれないので、韓国がイエスといわない限り、先に進まないのである。自信があるなら受けて立てばいいのだが、絶対に出てこない。一方で国際法にはあまり関係ない地方議会で可決すればOKな慰安婦像などは量産し続けている。対馬の寺から盗んだ仏像も返還に応じない。日本は加害者側だからと長年耐えてきたのだが、もういい加減にしてほしい。

2020年6月、北朝鮮が開城（ケソン）の南北共同連絡事務所を爆破するという事件が起きた。韓国の文政権はいわゆる進歩派（左翼）で、南北統一を旗印にして、米朝対話の調整役に立候補するなど融和路線を突き進んできた。北朝鮮としても付き合いやすい相手だと思っていたのだが、いきなりの爆破である。韓国の脱北者支援団体が風船でばらまいた北朝鮮批判ビラが気に入らないというのが直接の理由だが、やはり韓国は信用できないということなのだろう。

南北の関係が悪化したからといって、日朝の関係が好転することにはならないだろうが、拉致問題解決に向けては早く動けばチャンスにつながると思う。

日本政府は現在、北朝鮮への対応策として、対話と圧力のうち圧力を重視している。何度も裏切られているから、締め付けを緩めることなど許さないといった声が多いことも分かっているが、対話の糸口をつくらない限り、何も進まない。

私なら、朝鮮総連幹部の渡航禁止などを条件つきで緩和することを提案する。北朝鮮からみれば、朝鮮総連は各国に置いた大使館以上に重要な組織である。そこの幹部に恩を売ることができれば、北朝鮮との独自ルートになる可能性がある。

いまでは外務省が使える北朝鮮とのパイプはすべて途絶えてしまった。そのため、安倍晋三前首相が呼び掛け、菅首相も同様の考えを表明している首脳会談を実現するには、新たなパイプをつくるしかない。私に任せてくれたら、きっとうまくやる自信がある。

日本の国益を考えれば、拉致問題を解決して、北朝鮮との関係改善を進めるべきだ。いま、世界で豊かな地下資源が手つかずのまま残っているのは北朝鮮とアフガニスタンだけだといわれている。

特に北朝鮮の中国との国境付近にはレアメタルが大量に埋蔵されており、中国とロシアが虎視眈々と狙っている。韓国があれほど統一に執着するのも、北の資源が欲しいからだ。朝鮮半島でも資源は北部に集中していて、南側には何もないから焦っているのだろう。日本が開発の主導権を握れば北朝鮮は国際社会との協調路線を取らざるを得なくなり、現在の瀬戸際外交への後戻りはできなくなる。

さらに、ロシアとの国境近くの羅津（ラジン）港の開発も注目だ。ロシアが喉から手が出るほど欲しい不凍港であり、中国の領土を通らずにシベリアの豊富な資源を日本海から輸出できる。近年、モンゴルで大規模な天然ガス開発が進んでいる。ロシアのパイプラインと羅津港を経由すれば、日本への輸送コストは大幅に削減でき、エネルギーの中東への依存が解消されるかもしれない。日本の将来にとって北朝鮮は重要なのである。

ベトナムの道路を「品川ナンバー」が走った

菅義偉首相が就任後に初めて公式訪問した外国はベトナムだった。ベトナムというと2017年秋にAPEC首脳会議に出席した安倍前首相に随行して同国中部の人気リゾート、ダナンを訪れたときのことを思い出す。

あの日、首脳会議に出発する安倍前首相を見送ろうと他の随行者らと一緒にホテルの車寄せに出てみたら、見覚えのある黒い車が待っていた。通常、外遊先の首相の移動に使われる車は、現地の大使館が調達することになっており、最初は「ベトナムの大使館は、日本の首相専用車と同じレクサスを用意したのか」と思っていた。それが、車が走りだして車体の後部が見えたら、驚いたことに、品川ナンバーだった。なんと、日本で使う車を空輸したのだ。

安倍前首相ご本人はサイドのドアから乗り降りするだけなので、車の前後を見る機会がなく、いつもの車だとは気づかなかったようだが、見送るわれわれは「ベトナムで品川ナンバー！」と大きな衝撃を受けた。首相専用車の空輸は過去にも一度あり、今回が2回目だという。その貴重な2回目に遭遇できた私は幸運だった。

APEC開催当時は、北朝鮮問題も緊迫化していたし、何かとお騒がせの米国のトランプ前大統領も現地にいるということで、「何が起きるか分からない」と、官邸と外務省で首相専用車をベトナムに送り込むと決めたということだった。アメリカの大統領がどこに行くにも、大統領専用車や大統領専用ヘリコプターを持っていくのは有名だが、日本も自国の首相専用車を海外に持ち込む時代になったのだろうか。

世界中で自動車を使ったテロが頻発し、多くの人の命が奪われるようになった。どんな車も、使う人間の悪意によって凶器に変わってしまう。首相が海外に出かけたときに使う車も、いつどこで誰が触ったか分からないものより、日本の信頼できるいつもの担当者が整備したものが安心できるのはいうまでもない。分厚い特殊鋼の装甲に覆われた車内は、首相にとって人目を気にすることなくくつろげる場所であり、誰に聞かれる心配もなく、気心の知れた秘書官と本音で語り合える「動く官邸」でもある。

首相は、日常の執務を行う官邸と、交差点のはす向かいにある国会議事堂との直線距離わずか数十メートルの距離でさえ車列を組んで移動する。先導のパトカー、ＳＰの警護車、首相専用車を挟んでもう１台の警護車がつく。それが、等間隔に並んで静かに進む姿は美しい。そんな車列が永田町を離れて地方に出張する場合は、同行する大臣や官房副長官の車、当番以外の秘書官の車、最後尾につく番記者の車など、台数が増える。先導のパトカーと警護車が協力して、一般車が車列に入り込まないように気を配りながら、目的地まで誘導するのだ。車列が動くときには、首相の公務に支障がないように、移動ルートの信号がすべて青に変わる。１分の遅れも許されない公人の特権であろう。

警備が厳しくなるのは17年11月のトランプ前大統領訪日のように、外国の要人が来たときである。要人が通過する時間にピンポイントで移動ルートを封鎖する。もちろん、詳しいルートは公表しないが、道路の通行止めについて数日前から周知されるためか、大きな混乱が起きないのはさすが日本というべきか。

車列移動には、国や都市の特徴や国民性がよく表れるものである。

特に、01年に訪問したイギリスとフランスは違いが際立っていて、思い出すことが多い。

社会秩序を重んじる国民性なのか、イギリスでは車列の移動も秩序だってスマートだった。車列に3台の白バイがつき、前後を尺取虫のように移動しながら、通過予定の交差点に白バイのうち1台が先回りして、車列が通行する間だけ一般車両を止め、通り過ぎた後に最後尾の白バイが規制を解除するという方法が採られていた。車列も予定通りに移動でき、一般車両への影響も最小限だった。

▼フィリピンの方言で「ABE」とは?

一方、個人主義が浸透しているという意味では世界最高峰といわれるフランス。

首脳会談のため大統領官邸のエリゼ宮に向かう間に渋滞に巻き込まれた。一応、車列には現地の警察車両がついていて、信号に引っかかったときだけ、一般車両を規制して日本の首相が乗った車を進める形だったが、彼らにとって、首相車以外は眼中にない。首相車が交差点を越えたところで、一般車が車列に入り込み、私が乗っていた官房副長官車は置いていかれた。その後、現地の警察車ともはぐれたため、渋滞の中で身動きが取れず、エリゼ宮への到着は大幅に遅れてしまった。あまりに遅れてエリゼ宮の門は閉ざされていて、中に入るのにも苦労した。当時の外務省の担当者には「このような交通事情であることは予め分かっていたはずだ。それなら私たちの車は首相車とは別に出発し、先に目的地に着いて首相到着の準備をしなくてはいけない」と私は怒った。

このとき一緒に渋滞に巻き込まれた官房副長官が安倍前首相である。意外とあのときの経験が、17年11月のベトナムへの専用車空輸につながっているのかもしれない。

安倍前首相はＡＰＥＣ期間中、ベトナムのフック首相から招かれて、首脳会議が行われたダナンの南30キロにある、世界文化遺産の街ホイアンを訪れた。ホイアンは、江戸時代に鎖国政策が始まるまで日本から多くの貿易商人が訪れていたところだ。安倍前首相も視察した木造の「日本橋」は観光の目玉だ。もちろん、日本から空輸した車はスムーズに動いた。

車といえば、フィリピンでも面白いことがあった。大統領や政府の要人車で使われている車は「ABE」で始まるナンバーがとても多いのだ。「ABE」は現地の方言で「友達」の意味で、車のナンバーのみならず、町中の看板にも「ABE」があふれていた。安倍前首相は看板に近づいて喜んでいたが、随行員たちは「ABE」の意味が分からないまま。「いい意味の言葉でありますように」と祈っていた。

東京都内を走る総理公用車（当時）　時事通信フォト＝写真

日本版エアフォースワン「政府専用機」のすごい秘密

前節で首相専用車を紹介したので、首相の空の移動手段である政府専用機を紹介したい。安倍晋三前首相の2019年1月のロシア・スイス訪問は1993年から運航している政府専用機の最後のフライトでもあった。同年4月から輸送力が大きく、航続距離も長く、さらに燃費効率もよい「777―300ER」が新しい政府専用機として運航を開始している。また、整備の委託先も日本航空（JAL）から全日本空輸（ANA）に変更された。

旧専用機は宮沢喜一首相時代に導入され、皇族、歴代の首相の外国訪問に使用されてきた。歴代首相で最も多く搭乗したのは安倍前首相で、第1次政権時代の8回と、第2次政権の81回で、計89回の外国訪問に使っている。ちなみに第2位が小泉純一郎元首相の52回。変わったところでは、PKOやイラク特措法などで現地に赴く自衛隊員が乗ったこともある。ちなみに私は、小泉内閣の秘書官と、安倍内閣の参与として約130回乗った。パスポートの出入国スタンプがどんどん増えてスペースが足りなくなるので、安倍内閣の参与に任命されてから、パスポートはすでに3冊目だ。菅内閣の参与も務めることになったので、パスポートがまた増えることになりそうだ。

政府専用機は首相と秘書官など随行員、同行記者団くらいしか搭乗できないので、「どんなにすごい飛行機なのか」と質問されることが多いのだが、皆さんが期待されるほどのことはないと思う。基本的に航空自衛隊に所属するいわゆる「軍用機」なので、内装などは意外と質素だ。機内食もあまり豪華ではない。飲み物の種類は、民間の旅客機よりも少ない。

パイロットもCAも全員自衛官。航空自衛隊の紺色の制服を着た隊員が、機内食や飲み物のサービスに回ってくる。民間旅客機のCAと違い、サービス業ではないので、みな表情は硬いような気がしている。

▼電話もできる空飛ぶ官邸

一般の旅客機であればファーストクラスがある部分に個室が2つ用意されている。広いほうはダブルベッドに机と椅子、シャワールームまで完備。狭いほうはシングルベッドでシャワーなし。広いほうは天皇陛下や首相が使い、狭いほうは主に首相に同行する官房副長官などが使う。

秘書官以下、同行者たちが使う一般の座席は一応ビジネスクラス仕様とされているが、旧専用機は93年当時の仕様なので、座席の間隔も狭いし、リクライニングもフルフラットにはできない。これで他省庁の職員や記者団には、同じ路線のビジネスクラスと同等の料金を請求するのだから、少し割高に感じるかもしれない。新専用機になって、随行員席の一部にフルフラットシートが導入された。ただ、残念ながら記者たちなど一般同行者の席は、プレミアムエコノミー仕様だ。

旧専用機には前方の個室スペースと後方の一般座席の間に、秘書官や参事官が仕事をするための机や会議室などがあった。電話、FAXなどの通信設備も設けられ「空飛ぶ官邸」の役割を果たせるようになっている。ただ、この電話が普通の電話とちょっと違う。私が地上に連絡を取ろうとすると「こちらは政府専用機です。飯島参与から○○さんにお電話です。ご本人さまですか」と交換手が確認してからでないと通話できない。私が首相に随行中だと知っていても、電話を受けた全員が必ず驚くのがおかしい。小泉元首相は会議室で秘書官たちと話している時間も多かったが、安倍前首相は個室で過ごすことが多かった。

これだけ首相の外遊に随行していると、「あちこち海外旅行に行けてうらやましい」といわれることも多い。しかし、観光気分が味わえることなどほとんどない。まず、到着するのが相手国の空軍基地だったりする。一般の空港での発着だったとしても、免税店があるような空港ビルには立ち寄らず、車に乗ってそのまま宿泊先のホテルに直行する。その際、入国手続きは外務省の担当者が一括して行うのが通例だ。その後は、ホテルと現地の大統領府・首相府や、国際会議場との往復だけですぐ帰国。観光タイムなどまったくない。

▼免税品でも免税なし

訪問できた数少ない観光地といえば小泉内閣時代の外遊で、メキシコのマヤ文明のピラミッドや、ヨルダンのペトラ遺跡、エジプトのスフィンクスなどの限られた場所だけ。いずれもほんの短時間で動く首相の後を追うのが精いっぱいでよく覚えていない。確かに私のパスポートにはたくさんの国のスタンプが押されているが、訪問先の国ごとのイメージはまったくといっていいほどない。

ごくまれに20分くらいの自由時間が取れることがあっても買い物もできない。普通の海外旅行なら楽しみの一つであるはずの買い物がまったく楽しめない事情があるからだ。政府専用機は旅客機ではないので、フライトナンバーがないのだ。フライトナンバーがないということは、免税手続きができないのである。

私の世代で海外旅行のお土産といえば免税店でブランドものを買うというのが定番だが、欧州など高級ブランドのある地域は消費税（付加価値税）20%前後のところが多いため、免税にならないと消費税10%の日本で買うより高くなる。女房にエルメスのスカーフを買って帰りたくても、私の小遣いではかなり厳しい。秘書官時代に中東のある国を訪問した際、免税でなくても現地ならではの土産物が欲しいと入った民芸品店で、由緒のありそうなパピルス画を値切り倒して購入したら、後で現代の大量生産の安物だったことが分かったという悲しい経験もある。以来、仕事で出かけたときには自分の楽しみは求めないと肝に銘じている。

政府専用機は、不測の事態に備えてまったく同じ仕様の2機が同時に飛ぶことはよく知られている。予備機はあくまでも予備機で、使われないことが望ましいのだが、2016年9月の米国・キューバ訪問のときに、機体トラブルが発生し、初めて乗り換えを経験した。何カ国かを訪問する際に、余分な荷物は飛行機に置いておけないかと尋ねたところ、「荷物は必ず持って降りるように」と指示されたので面倒だと感じていたのだが、実際にこうした乗り換えを体験してみると、それも正しかったのだと思う。

私の知る限り、首相が乗る本機と予備機が同時に人を乗せて飛んだのは、04年5月、小泉首相の2回目の訪朝の際、先に帰国していた拉致被害者の家族を乗せたときだけだ。新しい政府専用機ではどんなドラマが起きるのだろうか。

いま明かそう。政府専用機での歴史的大交渉

旧政府専用機の25年に及ぶ歴史の中で、たった一度だけ外国人が搭乗したことがある。

2002年、6月にカナダ・カナナスキスで開催されたG8主要国首脳会議(サミット)からの帰路、ドイツのシュレーダー首相(当時)が日韓共催のサッカーW杯で決勝に進出したドイツ代表を応援するために同乗したのだ。いまでは首脳同士の友情を示すエピソードとして広く知られているが、その裏には単純な友情では終わらない外交の駆け引きがあった。

カナナスキスサミットの冒頭、ロシアのプーチン大統領から「翌年のフランス・

エビアンでの会議日程を変更してほしい」と要望が出された。サミットの日程に決まっていた5月末に、ロシアではサンクトペテルブルク建都300年記念式典が予定されており、サミットのほうのスケジュールを動かせないかということだった。

ロシア外交筋は、エビアンサミットの日程が固まってからの1年間、翌年の開催国フランスとの間で交渉を続けてきたが、結果は芳しくなく、最終的にプーチンが各国首脳に直談判することになった。あの強面のプーチンが低姿勢で頭を下げたものの、たとえ1年先でも国のトップのスケジュールを変更するのは難しい。首脳たちも簡単にはうなずけない。するとプーチンは強硬な態度で変更を迫り、会議の雰囲気が悪化した。

そんなとき、小泉純一郎首相（当時）が「プーチンさん、ちょっと黙ってて」と口を挟んだ。

「シラクさん、あなた大統領で権限も大きいから、2日くらいなんとかなるよね。みんなでペテルブルクの式典に出て、その足でエビアンに飛べばいいじゃないか。何も問題ないだろう」

しかし、シラク大統領（当時）は黙ってしまった。今度はブッシュ米大統領（当時）に、

「ジョージ、どうなんだ、俺の考えに賛成か反対か」

非常に関係が良好だったブッシュが小泉首相に反対するわけはなく、もちろん「賛成」。そこで流れが変わり、小泉首相が開催国のカナダのクレティエン首相（当時）、英国のブレア首相（当時）ドイツのシュレーダー首相、イタリアのベルルスコーニ首相（当時）に質問すると全員が賛成した。

残ったシラクに「最後はあなたの判断だよ」と答えを求めると「分かった。ＯＫ」としぶしぶ了解。これで翌年のサミット日程に関わる話し合いは終了した。

その後、休憩時間になり、プーチンが興奮した状態でやってきて、

「コイズミ、前からすごい奴だとは思っていたが、本当にすごいな。自分が1年かかってできなかったことが、10分で終わった」

と賞賛してくれた。さらにプーチンは、

「私がロシアに帰国したら北朝鮮の金正日委員長の訪問を受けることになってい

る。拉致問題を早く解決するように強く伝えておく」

と申し出て自国の控室に戻っていった。次にシラクが、

「コイズミに話したいことがある」

と深刻な表情でやってきたので、日程変更でメンツを潰された代償に何かを求められるのではと日本側スタッフはかなりビビったのを覚えている。

▼W杯を見たいというドイツの首相

当時、官房副長官として同行していた安倍晋三前首相など、いま使っている政府専用機をボーイングからフランスのエアバスに変更しろと要求されるのではないかと心配していたほどだ。

戦々恐々としながらシラクを迎えると、

「シュレーダー首相を日本まで乗せていってやってくれ。首相と秘書官と警護担当5人だからなんとかなるだろう」

という話で拍子抜けした。シュレーダー夫人が緊急の用事のために専用機で先に

帰国したため、民間航空会社の日本行きの便を探したが、どうしても横浜国際総合競技場でのサッカーW杯決勝に間に合う便がないのだという。だったらコイズミに乗せてもらえばいいじゃないか、という話になったとのこと。

しかし、日本には過去に政府専用機に外国人、ましてや海外の首脳を乗せた前例などない。さらに官邸スタッフ以外からは搭乗料金を徴収している手前、ドイツ側の〝乗客〟をどう扱うか。非常にデリケートな問題なので、当初、小泉首相は「満席だから」と断った。それでもシラクは「5人くらい降ろして空けろ」と譲らない。とりあえず、調整して翌日の午前中までに回答するということになった。急いで総務官と内閣法制局に連絡して、外国の首脳の専用機搭乗が法的に問題ないことを確認し、無償でシュレーダー首相一行を乗せる手はずを整えた。

専用機内では、副長官が使っていた狭いほうの部屋に案内した後で、小泉首相の使っている広い部屋への交換を提案するという段取りにした。これはちょっとあざとい手口なのだが、小さな貸しをどんどん相手につくってしまうというのが外交の基本だ。信頼関係のある国同士なら、貸しをつくっておけば、次に日本が何か困ったときに助けてくれるのだ。

そこで満足してもらったところで、機内での首脳会談という流れに。官邸で行われる首脳会談でテーブルの中央に両国の小旗を飾る慣例に倣って、専用機にも小旗を用意したところ、感激した両首脳が記念に旗にサインをしてくれた。ここだけの話だが、その旗は私が持ち帰って家宝として大切に保管している。

日独両首脳は機内でも和やかな雰囲気だったが、シュレーダーは、サミットの休憩中にプーチンが個人的に小泉首相に話しかけた内容が気になっていたようだ。小泉首相が、「他国の首脳との会話内容を教えるわけにはいかない」と断ったところ、シュレーダーは、「じゃ、プーチンに電話して聞くから、電話を貸してくれ。彼と私は親しくしていて、隠し事のない関係なんだ」。

小泉首相が驚いて理由を聞いたら、「彼がＫＧＢにいて、東ドイツでスパイ活動をしていたころから家族ぐるみの付き合いなんだ」という意外な関係が明かされた。それをきっかけに北朝鮮との交渉に関わるやり取りについて話が進んだ。後で振り返ると拉致被害者の帰国へとつながった歴史的な話し合いだった。拉致問題でドイツからの積極的協力を取り付けることができたのは大きかった。

シュレーダーは05年に辞任した翌年、ロシア国営の天然ガス会社「ガスプロム」の関連会社の役員に就任した。そのニュースを聞いて、私は、あの専用機内での告白を思い出した。シュレーダーとプーチンは、本当に仲がよかったのだとびっくりしたものだった。ウクライナ情勢が緊迫したときも終始ロシア寄りの姿勢を続けたのも、うなずけた。

新政府専用機　時事通信フォト＝写真

ＩＲ・カジノはパチンコ業界に学べ

菅首相も国会の答弁で「日本型ＩＲは観光先進国となる上で重要な取り組み」と述べるなど、力を入れているＩＲ（統合型リゾート）についても述べておこう。

ＩＲの誘致にいろいろな夢を描いて、新人からベテランまでかなり多くの議員が推進活動に参加していたことは事実である。しかし、現職の国会議員だった秋元司容疑者が逮捕される事件が起き、ＩＲの計画推進について政治の流れは消極的になっている。秋元容疑者以外にも中国企業から１００万～３００万円を受け取ったと報じられた議員もいたが、実際の誘致に何らかの影響を及ぼす力があったとはとても思えない。彼らはド素人の部類に入り、ＩＲを理解して各方面に政治的な働きかけができるほどの経験も知識もない。

ＩＲの立地は非常に難しい。例えば日本にカジノをつくろうと思えば、風営法の規定とぶつかる。原則として病院や学校の近くでは、遊興施設の営業は許可されない。東京都内で商業地域に指定されている場所などでは、許可要件が緩和されている場所もあるが、現在有力といわれているお台場には武蔵野大学とがん研有明病院があるので、建設までのハードルはかなり高くなる。逆に横浜の候補地である山下ふ頭には病院も学校もないが、市民には反対の声が多い。

競馬の場外馬券場ですら、地域住民の反対で、建設が難しくなるのである。海外から賭け事目当ての客が集まるカジノを含むＩＲでは、激しい反対運動が起きるに決まっている。

反対する地域住民への説得も大変だが、カジノの運営にあたって反社会的組織を排除することにも苦労するだろう。ＩＲのオープンまでには高い山をいくつも越えなければならない。法案が成立したとしても、実際に客を呼び込めるのは10年以上先になる。いま積極的に誘致活動を行っている議員たちが、10年後も残っている保証はなく、一貫した取り組みができるかは疑問が残るという。

秋元容疑者の汚職事件など、ＩＲを取り巻く問題の中では些細なものだ。正直にいえば、現在の政府案の通りＩＲが開設されたとしても、成功するのは難しいのではないかと危惧している。

いま、日本で誘致に手を挙げている各都市は、長期的な視野から計画を進めているようには見えない。主な候補地は、20年1月に千葉が撤退を発表したので、東京、神奈川、愛知、大阪、和歌山、長崎の各都府県が残っている。神奈川の場合は、大規模な国際会議の開催地がお台場のビッグサイトや、千葉の幕張メッセに取られることが多くなったため、巻き返しのためにＩＲがあればと考えているようだ。大阪の場合は、大阪五輪の招致失敗で空いたベイエリアの再利用。長崎は経営破綻からなんとか復活したハウステンボスのてこ入れといった背景があり、地域が抱える負の流れを断ち切るための誘致になっているように思える。ＩＲを成功させるための前向きな計画を立てているようには思えない。

もう一点、1地域1社のサービスではビジネスとしてのスケールメリットがないことも、日本のＩＲが抱える大きな課題だ。

「カジノは日本初」と騒がれているが、すでに日本には多種多様なギャンブルが存在している。競馬、競輪、競艇、オートレース、そしてパチンコ。日本人は世界で一番賭け事が好きな国民なのではないかと思うほどだが、競馬ファンやパチンコファンがそのままカジノに行くかといえばそう簡単ではない。

例えば近年のパチンコ業界は、３カ月ほどで台を入れ替え、「新装開店」を繰り返すことで、客をつなぎとめる。ずっと同じ機種のままでは、客を他店や他のギャンブルに奪われてしまうからだ。

パチンコメーカーも、現状の法律や「内規」と呼ばれる自主規制の枠内で、新しい遊び方やゲーム性の台を開発し、客をつなぎとめる努力を行っており、時には「一休さん」のように規制の盲点をついた斬新な台が出ることもある。

いま想定されているカジノでは、限られた場所の限られた店舗でいつも同じようなゲームが提供される。多様なギャンブルと、新しい刺激が提供されることに慣れている日本人が飽きずに通うとは思えない。

また、家族が楽しめるようにカジノ以外の娯楽も提供されるというが、ギャンブルに負けたお父さんが、家族のためにお金を使うとは思えないところも、施設側としては痛い。

ターゲットは海外からの観光客だから日本人が集まらなくてもよいという見方もあったが、コロナ禍で事情が大きく変わってきた。海外からの観光客が入国できるようになったとしても、他国の例では、ラスベガスやマカオのような大規模カジノシティは別として、シンガポールや韓国のカジノは集客に苦労しているらしい。

シンガポールには2軒のカジノがあるが、いずれも経営は苦しいという。まず1軒目に行って負けた人が「今度こそ」ともう1軒に行ってみるがそこでも負けてしまうと諦めて、翌日からカジノで遊ぶのをやめる。

つまり、多くのカジノがあるほど、経済効果は高いということ。だが日本のＩＲは、1カ所につき1社の運営の予定だという。2軒で苦戦を強いられているシンガポールより、さらに条件は厳しい。

韓国の場合は、カジノで大勝した場合、韓国から現金を持ち出すのに面倒な手続きが必要になることが集客を難しくしている。手続きを忘れると出国の際に賞金を没収されるか、韓国国内で使うしかなくなる。一度没収されると、次回は別の国に行きたくなるのだろうか、韓国のカジノも下火になっているという。海外観光客の集客の目玉としても、カジノがそれほど効果的とは考えられない。

本気でカジノで成功したいと考えるなら、富士の裾野や北海道など広大な敷地があるところで、ラスベガス並みのカジノシティ建設をめざすべきだ。世界中から大富豪が集まりやすいように、プライベートジェット専用の空港をつくるのも効果的かもしれない。

19年末にカルロス・ゴーン被告がプライベートジェットを使って国外逃亡を図ったことで、一部報道で関空のプライベートジェットに対する保安検査態勢を批判していたがナンセンスである。保安検査とは不特定多数の乗客が、飛行機の運航を妨げる危険物を持ち込ませないために実施するもので、プライベートジェットの乗客なら不要なくらいだ。ゴーン被告のせいで規制が厳しくなったら、世界レベルの大富豪は日本に来なくなる。

COLUMN

アフリカで ライオンに喰われかけた

私は、中学校卒業以来、ずっとメガネのお世話になっている。近視と乱視で視力が弱く、メガネがないと生活できない。ＴＰＯや気分に合わせて、６本のメガネを使い分けている。特に奇をてらうようなデザインは選ばず、スタンダードなものが好きだ。

私の子どものころは、「勉強ができる」「秀才」といえば、メガネをかけているイメージがあった。私としても「よく勉強しているから目が悪くなるのね」と近所でうわさされるのではないかと、いまよりもレンズが分厚く、お世辞にも格好いいとはいえないメガネを、得意げにかけていたものだ（効果はあまりなかったかもしれない……)。

現在の日本では普通の人がメガネをかけている。最近はコンタクトレンズの人も増えているが、視力が弱い人は多い。だから、視力が1・5とか2・0とか聞くと希少価値を感じるのだが、世界レベルでは2・0くらいでは大したことはない。

1980年代の映画『ミラクル・ワールド ブッシュマン』(現在のタイトルは『コイサンマン』)は、アフリカ南部の砂漠で暮らす部族の男性がコーラの瓶を拾ったことで大騒動になるといったストーリーだったように思うが、映画の内容よりも主演のニカウさんの視力が4・0もあったことのほうをよく覚えている。ギニアの元外交官で、日本でタレントとして活躍しているオスマン・サンコンさんはかつて視力6・0と公言していた。地域によっても違うらしいが、都会以外で暮らすアフリカの人は、4・0~5・0くらいの人がごろごろいて、3・0だと目が悪いといわれるらしい。

アフリカに行くと、野生動物を見に行こうとサファリツアーに連れて行ってもらう機会が多い。

日曜日の夜にNHKの動物番組「ダーウィンが来た！」を見ていると、アフリカに行けば、象やライオンがすぐに見つかるような気がするのだが、あれは数カ月にわたってずっと収録した中から選りすぐりの映像を30分に編集したもの。丸一日ジープに乗ってサバンナを走ったところで、簡単に野生の動物が見られるわけではない。私はこれまで、ケニア、ジンバブエ、ウガンダのサファリツアーに行ったが、野生動物と遭遇したことはほとんどない。

そういえば、一度だけ野生動物らしきものが見えたことはある。ジンバブエのツアーでのことだ。同行した現地のガイドが「あ、あの川にカバがいますよ」「あの木のところにキリンがいます」というのだが、まったく見えない。私の目に見えたのは、川が流れていたり、木が風にゆれていたりする様子だけ。「どこに動物がいるのか」と尋ねてみたら、ガイドは「川の表面に波紋が広がっているでしょう。カバが水面から頭を出すときにできるものです」「キリンは木の上に頭を出して葉っぱを食べています」という。説明を受けると、なるほどそのように見えなくもない。カバの波紋はどうしても分からなかったが、キリンについては木の上のほうに枝とは少し雰囲気の違う何かが見えた気がした。私たちが乗っていた車からキリンがいるという木までは数十キロメートルくらいだろうか。

しかし、アフリカの人々は、私が本物の野生動物を見たことがないというと何とか見せようと努力してくれる。ウガンダに行ったときには、「大丈夫。保護のためにGPSを付けたライオンがいて位置が分かるから必ず会えますよ」という。それなら私にも見えるかもしれないとジープに乗り込んだ。しかし、GPSの信号を受信できる範囲を超えたところにライオンがいたのだろう。どこまで走ってもライオンの姿は見えなかった。

野生ではないが、ライオンを間近に見た経験はある。南アフリカの動物園でのことだ。動物園といっても、日本のサファリパークを100倍にしたような感じで、広大な敷地の中で、人間の管理のもとで生活する動物たちを至近距離で観察できる施設だ。一緒に行った飼育員が合図を送ると、7～8頭のライオンが一気に私に向かって突進してきて、喰われるかと思った。あまりに驚いたので飼育員に事情を尋ねてみると「日本から大事なお客様がいらっしゃると聞いたので、喜んでもらおうと1週間エサを控えていたんですよ。空腹だとすぐに飛んでくるから」。

▼モンゴルにメガネ屋がない理由

アフリカのサービス精神はすごいが、危うく私がエサになるところだった。

砂漠や草原地帯に暮らす人々は視力がよくなるのか、モンゴルにも非常に遠くまでものがよく見えるという人が多い。

知り合いの記者が、首都のウランバートル近郊で遊牧民のゲル（移動式住居）に宿泊したときの話だ。宿泊先の主人は馬を3頭飼っていて、夜はゲルの外の柵内にいたが、記者が翌朝起きてみると、3頭ともいなくなっている。外はさえぎるもののない草原。360度見渡しても馬はどこにもいない。焦った記者が主人に「馬がいなくなっている」と報告すると、主人は一見何もないところを指差しながら「何をいってるんだ。ちゃんといるよ。あそことあそことあそこ。3頭そろっている」と笑顔で答えたという。記者が目を凝らしてみると、直径5ミリ程度の黒い点が地平線にあり、それが馬だといわれたのだという。

モンゴルがすごいのは、現地の人々だけではなく、われわれも遠くのものが近くに見えるようになることだ。

とある要人の会談に同行して、ウランバートルの迎賓館に行ったことがある。迎賓館の敷地はかなり広く、門を通ってから建物に到着するまでかなりの距離があった。しかし、車を降りて振り返ってみると、門がすぐ近くにあるように見えるのである。同行した要人も同じように感じたようで、会談を終えると「門まで歩くから、車を回しておいて」と伝えて歩きだした。天気もよかったので、私も一緒に歩こうかと思ったのだが、車でも結構かかったし、やめておこうと車内で待機していた。結局、彼は門にたどり着けず、途中で手を振って車を呼ぶ羽目になった。

日本でも冬の天気のいい日には遠くの山が近くに見えることがある。冬は空気中の水分が少なく、光の屈折や散乱が起こりにくいので、遠くの山の姿が真っすぐに届くからだという。東京にいると、秋から冬にかけて富士山がよく見えるのも同じ理由だ。モンゴルというところは、日本の冬よりもさらに空気が乾燥しているので、何でも近くに見えてしまう。ホテルの窓から見える山々も、ウランバートルからは

50〜60キロメートル離れているはずなのに、目の前にあるような大迫力だ。ウランバートルでメガネ店をほとんど見かけなかった訳が分かった。

▼カタツムリの目は切っても生えてくる

人間の目もすごいが、動物の目はもっとすごい。私が動物の「目」というと思い出すのはカタツムリである。童謡の「かたつむり」に「つの出せ、やり出せ、目玉出せ」という歌詞があるが、カタツムリの目は、ツノのように見える触角の先端部分についている。しかも、その目は切り落としてもまた生えてくるという非常に便利な機能をもっている。

切っても生えるといえば、トカゲの尻尾だが、切り落とした部分が元の形に戻るには1〜2年かかるといわれている上に、トカゲ本体のダメージも大きいため、敵に襲われるなど生命の危険にさらされた場合など、一生に一度やるかやらないかの大技だという。

その点、カタツムリの目は2週間で元に戻る。子どものころ、カタツムリの目が再生するという話を聞いて、どれくらいで戻るのか気になり、実際に切り落としてみたことがある。生えてくるところが見たかったが、さすがに2週間ずっと観察し続けることができなかったので途中であきらめた。カタツムリにはかわいそうなことをしたと思うが、彼らの目は乾燥を避けるため、日なたを避けられるように明暗が分かる程度の視力で、目玉がついている大触角を動かして周囲の様子を認識するので、大触覚さえ残っていれば困らないようだ。

比較的簡単に再生するからなのか、目玉を失いがちな種類のカタツムリもいる。日本にも生息するオカモノアラガイというカタツムリの触角にはロイコクロリディウムという寄生虫がつくことがある。寄生されたオカモノアラガイの触角は緑色に腫れあがってイモムシのようになり、イモムシを主食とする鳥に食べられてしまう。寄生虫は移動した鳥の体内で産卵。その卵が入った糞をオカモノアラガイが食べて、同じことが繰り返されるというわけだ。

ちなみに、カタツムリは歯も再生する。舌のようなものの周囲に生えた約2万本の歯（「歯舌」と呼ばれる器官）で、植物の実や葉を削って食べる。すり減ってもまた生えてくるので虫歯知らずだ。梅雨時に見かけることの多い動物だが、不思議な能力を秘めているものだ。

目玉の再生といえば、イモリもすごい。目だけでなく、脳や心臓の一部を切り取っても再生する。特に目玉については、18回くりぬいたら、18回ともまったく同じ機能のレンズが再生したという実験結果もある。

動物の再生能力に話題が逸れてしまったが、いま私が気になっているのはあくまでも視力だ。地球上で一番視力の高い動物は鳥類なのだそうだ。子どものころから目が悪かった私はいつも鳥のようになりたいと思っていた。

ワシやタカの仲間は、1000メートル上空から、地上で動くネズミなどの小動物を見つけて捕まえることができる。ヒトの目には、光の刺激からものを認識するための視細胞が1平方ミリメートルあたり約20万個あるとされているが、イヌワシの視細胞は約150万個で人間の約7・5倍。また、ヒトの目は、赤、緑、青の3色の光を感じることで、色を認識しているが、イヌワシはこの3色に加えて紫外線の紫色の光を見ることができるらしい。どんなふうに見えているのだろう。

鳥の生態で感心するのは、渡り鳥などが何千、何万羽の単位で飛んでいるときに、鳥同士が決してぶつからないことだ。オーストラリアのクイーンズランド大学の研究によると、鳥は個体同士が異なる高度で飛ぶことに加えて、正面から向かってくる鳥にたいしては、右に寄って避ける習性があることが分かったという。研究チームは短いトンネルの両端から10羽のセキセイインコを飛ばす実験を100回以上実施したが、一度も衝突は起きなかった。衝突が起きそうな場合は、必ず右側に避けるという結果になったという。これが集団で飛ぶ秘訣なのだ。

鳥同士は決してぶつからないのに、飛行機と鳥はよく衝突している。国土交通省のまとめによると、日本国内でバードストライクは年間1500~2000件発生している。これまでの研究から考えられることは、飛行機の機体が大きすぎるために、右に避けたつもりが避けきれないのだろう。

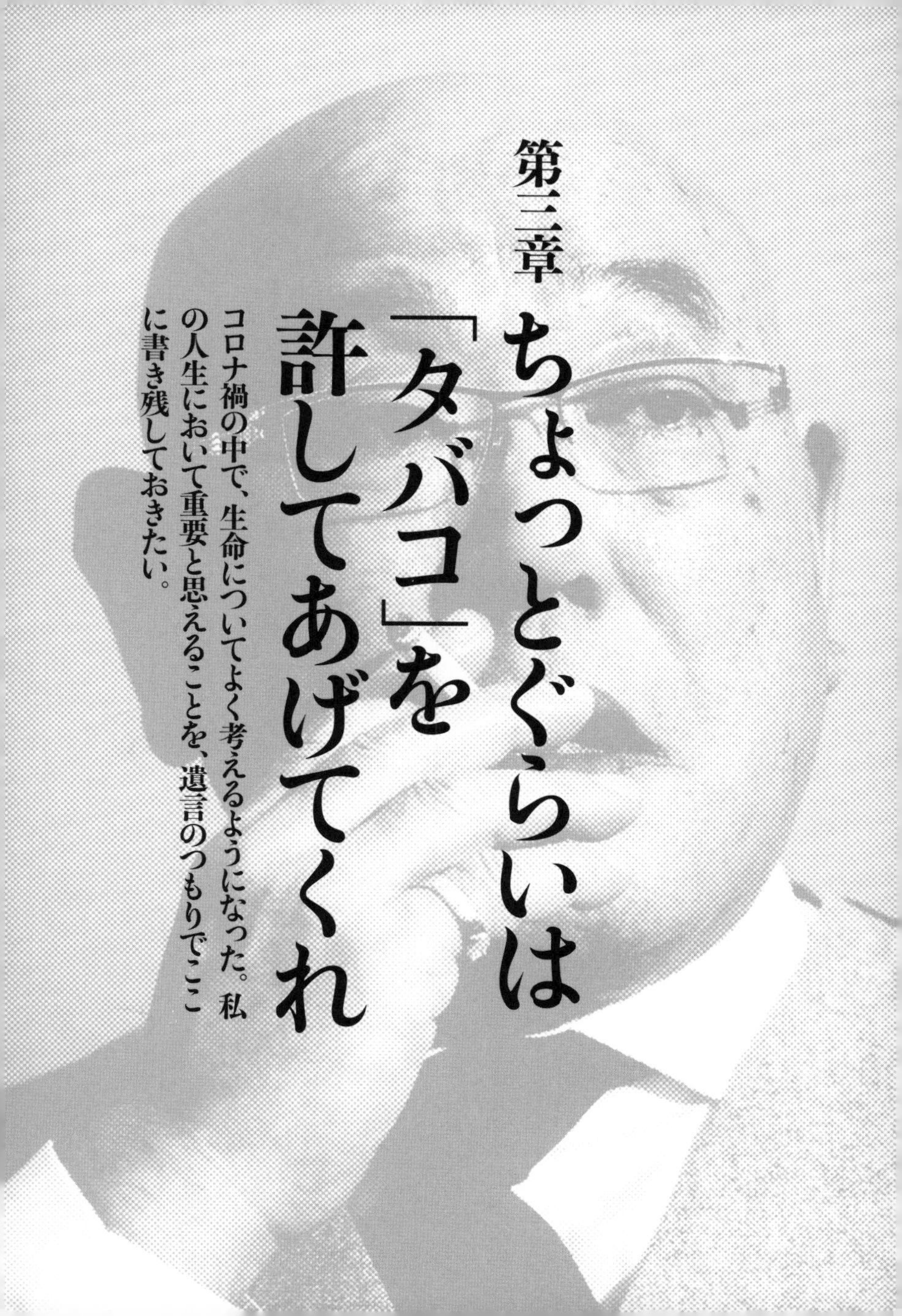

第三章 ちょっとぐらいは「タバコ」を許してあげてくれ

コロナ禍の中で、生命についてよく考えるようになった。私の人生において重要と思えることを、遺言のつもりでここに書き残しておきたい。

「タバコは絶対ダメ」級の潔癖を貫けば、世の中から息抜きは消える

健康にとって有害で寿命が縮むので、ごはん、パン、牛肉、豚肉をタバコ同様に国が法律で規制したら、読者の皆さんは怒らないのだろうか。

皆さんは、そんなことは起こらないから大丈夫とお考えだろうか。しかし、これは今後、現実的に起こりうる話なのだ。

最近、非常に興味深い本を読んだ。UCLAで助教授をされている津川友介さんが書いた『世界一シンプルで科学的に証明された究極の食事』という本で、信頼できる科学的な調査データから、身体に良い食品と悪い食品をズバッと示している。私たちが毎日の食事で口にしている、あの食材もこの食材も健康へのリスクがある

と知って非常に驚いた。

まず、日本人の主食である白米には、糖尿病のリスクと正の相関関係がある。つまり、糖尿病になる危険性が増すということだ。さらには、牛肉・豚肉などの〝赤い肉〟特にハム、ソーセージなど加工肉の摂取量が増えると、脳卒中や心筋梗塞など動脈硬化による死亡率、がんによる死亡率がいずれも上昇すると指摘されている。同書によれば、加工肉の摂取量が１日あたり50グラム増えると脳卒中のリスクが13%増加する。赤い肉の場合は、１日あたり１００～１２０グラム増えるごとに脳卒中のリスクが11%上がるという。

肉はがんにも影響する。国立がん研究センターが約８万人の日本人を対象に８～11年間追跡した調査によると、赤い肉や加工肉の摂取量が多くなるほど大腸がんのリスクが高くなる傾向が認められたという。

どうだろう。健康に悪いからといって、世の中から排除していたら、ごはんもパンも牛肉も豚肉も食べることができなくなる。本書では、ごはんやパンの代わりに、玄米やそばを食べることを勧めているが、毎日毎食、玄米やそばを食べ続けられるものなのだろうか。相当な苦痛ではないのか。

ごはんや牛肉も糖尿病やがんのリスクを増大させるのであれば、タバコだけに規制や高い税率を押し付けるのは明らかに不公平であろう。

街の牛丼屋さんは、子ども（20歳未満）の店舗への立ち入りを禁止すべきであり、重税を課すべきだ。同様に、パン屋、うどん屋、ステーキハウス、しゃぶしゃぶ屋についても同様の措置をとるべきであろう。ちなみに、タバコの約6割は税金である。そのレベルまで課税するなら、牛丼やステーキの値段は現在の2・7倍になる。牛丼の器には「牛肉食は、あなたにとって大腸がんの危険性を高めます」「白米食は糖尿病の危険性を高めます」「人により程度は異なりますが、炭水化物により白米食への依存が生じます」と大きく明記する必要も出てくる。先に述べたように、これは冗談でも何でもなく、牛肉と白米のリスクを直視し、タバコと平等に扱っただけである。

タバコへの規制と高い税率がどれぐらい異常なものかを非喫煙者も肌で感じてほしい。

週刊誌などの健康特集に登場する医者は「タバコをやめよ、タバコが身体に悪いことは科学的に立証されている」と指摘するが、ごはんだって身体に悪いことが判明しているのである。タバコをいじめるのは簡単なのだろうが、タバコが絶滅した後にやってくる世界は、お酒も、ごはんも、牛肉も食べられない世界ではないのか。

▼受動喫煙防止条例の決定的な欠陥

東京都の受動喫煙防止条例は、喫煙者にとって極めて厳しい内容であり、喫煙者が年々減り続けている現状で、トドメを刺す必要が本当にあるのか甚だ疑問だ。

まず飲食店の経営悪化が懸念される。東京都よりも先に受動喫煙防止条例を施行した神奈川県では、喫煙環境を変更した飲食店の約4割で、客数も売り上げも減少したとの調査結果が出ている。東京都でも、条例が施行された場合の経済損失は約2000億円に上るという試算だ。さらに問題なのは、この神奈川県の条例同様に、東京都の条例の決定的な欠陥は、取り締まる人がいないということだ。つまり違反した喫煙者や施設管理者は5万円以下の過料となっているが、まじめに条例を守った人だけが経済的損失をこうむり、一切守らなかったお店は野放しにされることになる。（浅草の飲食店のまとめ役である）浅草おかみさん会の冨永照子さんも話されていたが、飲食店、特に酒類を提供する店では、喫煙者のほうが店の滞在時間が長く、全面禁煙による売り上げ減少が予想される。賃貸の店舗で営業しているような店は、コストがかさんで閉店に追い込まれる可能性もある。客や従業員のためだと禁煙を強制し、店がつぶれたら都は責任をとってくれるのか。

　条例の内容も問題だらけだ。現場の実情を理解していないと思われるのが「従業員を雇っている飲食店は広さにかかわらず原則禁煙」という規定である。国の健康増進法改正案では、「客席面積１００平方㍍以下」「個人経営や資本金５０００万円以下」の店では喫煙も可能にできるが、都の条例案は、さらに厳しくなっている。

　都内で従業員を雇っていて条例による規制の対象となる店は、飲食店全体の80％以上だ。

　つまり、ほとんどの飲食店ではこれからタバコはもう吸えないということだ。条例案の全面的な撤回が困難ないま、「従業員がいたらダメ」ではなく、「従業員の合意がなければダメ」という形に修正してはどうだろうか。従業員には喫煙者も含め、いろいろな人がいるはずだ。

これほどまでに分煙の進んだ東京で、さらに喫煙者全員から恨みを買う必要もないと思うのは私だけだろうか。豊洲市場移転問題でも、都の顧問制度でも、本来の「政治家・小池百合子」らしい現実的な対応が増えてきていたので、今度も大丈夫ではないかと思っていたのだ。

実際、東京都では国の喫煙対策である健康増進法改正案の内容について、厚生労働省側とのすり合わせもしていたようだし、期待していた分、少し心配している。もしも、小池知事が喫煙対策に力を入れるなら、屋内については国に任せて、都内の各自治体によって違う路上喫煙禁止条例の罰則を統一する音頭を取ってはどうか。ある自治体では路上喫煙は罰金刑なのに、隣の区では禁止すらされていないというのでは、東京都以外から訪れた人を悩ますのではないだろうか。

都市部には、牛肉、ごはん以外にも排ガスの問題もある。タバコが全滅したところで、健康への懸念はゼロにならないのである。人は誰でも普通に生活して食事をしているだけで、病気になるリスクがある。行政は正確な情報の発信を心がけて、後は個々の判断に委ねるというのが成熟した民主国家のあり方であろう。

タバコをちょっとぐらい許してくれたっていいじゃないか

霞が関では、タバコ関連法案の制定は、「担当の役人を精神的にトコトン追い込む」ことで有名だ。なぜなら、禁煙を推進する勢力は、タバコを根絶やしにしない限り振り上げた拳を下ろさないし、逆に、タバコを容認する中小零細飲食店からは、「これ以上の規制をされるとお店がつぶれる」という切実な悲鳴が届けられるのだ。

厳しい禁煙条例の制定で、東京中の飲食店の店主が小池知事に深い恨みを持っているのは容易に想像がつく。この禁煙派、容認派はどんな落とし所を提示しても納得することは決してない。結果、担当者はメンタルをやられてしまうのだ。

だから、私はそんな危ない案件に触らず、国に面倒事を押し付けてしまって、東京都は、23ある区ごとに違う屋外規制を統一するなどの音頭を取るべきだと小池知事にアドバイスしていたのだ。実際に、外国では路上喫煙は許されている国があるのだから、路上喫煙をしてしまう人が出てくるだろう。そんな状態で、例えば千代田区では罰金2万円を取られ、隣接する中央区では罰金なしといわれたら、ますます混乱する。東京・銀座の数寄屋橋交差点付近のガード下では、どちら側で吸ったかによって罰金2万円と無料と落差が大きい。笑ってしまうが本当の話だ。

▼肉もごはんもお酒も危ない

タバコが身体に悪いというのはおそらく本当のことなのだろう。しかし、それをいうなら、お酒も、肉も白米も健康リスクを高めるというきちんとした医学的根拠がある。

【お酒】

英国のがん研究所は、アルコールとの関係が特に指摘されているがんの種類として、口腔がん、咽頭がん、食道がん、乳がん、肝臓がん、大腸がんを挙げている。

そのリスクは、ワインやビール、蒸留酒などアルコールの種類とは無関係で、飲む量についても「がんに関しては安全な飲酒量などない」と断言している。(『ニューズウィーク日本版』18年１月９日)

【白米・肉】

・白米には、糖尿病のリスクと正の相関関係がある。つまり、糖尿病になる危険が増す。

・加工肉の摂取量が日あたり50グラム増えると脳卒中のリスクが13%増加する。赤い肉の場合は、日あたり１００〜１２０グラム増えるごとに脳卒中のリスクが11%上がる。(津川大介著『世界一シンプルで科学的に証明された究極の食事』より)

飲酒が怖いのは、本人が傷つくだけではない。飲酒運転の死亡事故率は飲酒なしの８・４倍にも達している。飲酒は他人の生命を奪うこともある。また、酩酊により攻撃性が増し、暴力事件に直結するケースも。刑事処分を受けるほどのＤＶ事件で、加害者の約７割が犯行時に飲酒していたというデータもある。受動喫煙の被害は、喫煙者を避けていればある程度防げるが、飲酒運転の車や、酒を飲んで暴れる人を予測して避けるのは不可能だ。

厚生労働省は、健康被害が出ておらず、においもない加熱式タバコの喫煙場所についても「たばこの健康影響評価専門委員会」で規制を強めている。加熱式タバコ規制賛成派の委員を総数の８割も選んで、無理やり議論の方向性をコントロールしているのだ。どう考えてもタバコばかりは、不公平であろう。

18年９月下旬、世界保健機関（ＷＨＯ）は、16年にアルコール依存症など飲酒による健康障害に苦しんでいる成人（15歳以上）が推計２億８３００万人に上ったという報告書を発表した。ＷＨＯは、タバコ規制の次にアルコール規制に狙いを定めて世界戦略を進めている。世界中の大手酒造メーカーが連携して反対活動を展開しているものの、世界的な潮流は飲酒規制に向かっている。

日本国内では、厚労省が、アルコールの飲みすぎによる社会的損失は年間４兆円以上に達するという研究データを公表済みだ。こちらは08年の数値を基にしているので多少古いのだが、肝臓病やがんなど飲みすぎによる病気やけがの治療に約１兆円、病気や死亡による労働や雇用面での損失が約３兆円だという。

厚労省はまた、タバコの社会的損失についても推計を発表しているが、喫煙と関連するとみられる病気の治療費や、タバコが原因で起きる住宅や山林の火災なども含めて年間約2兆円で、飲酒による損失の約半分だ。

タバコが許せないという人が一定数いるのは事実だろうが、社会的損失は、お酒のほうが大きいのである。居酒屋を利用していて、タバコを規制せよなどという人は、はっきりいって、無知なのか、論理破綻を起こしているかの、どちらかなのである。私が、禁煙運動家を禁煙ファシストと呼ぶ理由もここにある。

私は、総理大臣秘書官だったころは危機管理上、お酒は飲まなかったが、いまは、少し嗜むようになった。お酒を飲まずにはいられない人の気持ちもよく分かる。日本は、他者に対して、もう少し寛容な社会になってほしいと心から願っている。

タバコを厳しく規制すれば、次はお酒

	発がん性	家庭内暴力	法規制
タバコ	×	◎	×
加熱式タバコ	◎	◎	×
お酒	×	×	○
加工肉	×	◎	◎

◎ … なし　○ … ゆるい　× … 危険

「喫煙者はコロナ感染から守られる」決定的証拠

コロナ禍で外出を自粛していた2020年春、改正健康増進法が施行され、タバコを吸える場所がめっきり減った。原則的に屋内禁煙となり、これまでオアシスだったJR東海の新幹線の喫煙車両も廃止されてしまった。最初の緊急事態宣言が解除された後で、都内に行ったときにいつも立ち寄る喫煙所に行ってみたら以前より混んでいた。

もちろんタバコを吸える場所が減ったことで、一つの喫煙所に人が集中しているという事情もあるのだろうが、やはり、タバコ好きは何があってもタバコを手放さないものだ。

それ以降、愛煙家への逆風はさらに強まった。健康増進法もそうだが、新型コロナウイルス感染症とタバコの関連性については、喫煙者は重症化のリスクが高いといわれていたからだ。

日本では感染拡大中の3月に亡くなったタレントの志村けんさんがヘビースモーカーだったこともあり「タバコは重症化の原因」のように報じられた。この病気が肺に深刻なダメージをもたらすことから、タバコで日常的に肺に負担を強いている喫煙者のリスクが高いのはさもありなんと納得した人も多いのだと思う。さらに、4月になってWHOが「喫煙者は非喫煙者と比較して、新型コロナウイルスへの感染で重症となる可能性が高いことが明らかになった」との報告を発表し、ますます禁煙勢力からの攻撃が強まった。

しかし、コロナに関してはWHOのいうことがあてにならないのはご存じの通りだ。世界各国で、感染者における喫煙者の割合が一般人口の習慣的喫煙者の割合(喫煙率)よりもかなり低いという発表が相次いでいる。例えば、喫煙者率13・8%の米国で感染者7172人を対象に実施された調査では、喫煙者数は96人（1・3%）

に留まっている。明らかに少ない。別の研究チームによる４１０３人を対象とした調査でも、２１２人（5・1％）である。こちらも少ない。

米国の医学誌『ニューイングランド医学ジャーナル』に発表された論文には、中国での感染者における喫煙者の割合が掲載されていた。中国では感染者１０８５人中の喫煙者の割合が12・6％であり、中国の喫煙者率27・7％の約半分という結果だった。比較対象の一般人口の喫煙者率を調査したのがＷＨＯというのが皮肉ではある。このほか、フランス、ドイツ、韓国でも喫煙者率よりも、感染者中の喫煙者の割合は低いという調査結果が報告されている。

これらの調査を行った国の中でも、フランスでは、新型コロナウイルス感染症の予防や治療にニコチンが利用できるかについて、臨床試験が始まることになったという。

パリのピティエ・サルペトリエール病院の調査では、入院患者３４３人に対して、喫煙者は15人と４・４％だった。フランス全体の喫煙者率32・9％に対して圧倒的に少なく、研究チームは、この結果は統計的に有意であるとして、喫煙者は感染から守られると結論づけた。

ウイルスはヒトの細胞の表面にある受容体と結合して細胞内に侵入して増殖し、さまざまな症状を引き起こすものだが、同病院の研究チームでは、ニコチンが受容体に付着して、ウイルスが細胞に侵入拡散するのを阻止する可能性があると提唱しているという。ただ、具体的な効果などは今後の研究を待つ必要があり、喫煙者がタバコを吸い続ける分には問題ないが、吸わない人がコロナ予防でタバコを無理に吸ったりニコチンパッチなどを使うのはやめたほうがいい。

もちろん、喫煙者のほうが重症化しやすいとする調査結果と、そうでない調査結果があることは承知している。ただ、タバコによって感染がここまで抑えられるのであれば、全体としては吸ったほうが良いと結論づけてもよい印象を受けた。

コロナのパンデミックが起きる前から、世界中でタバコは悪者扱いだった。「タバコ＝肺がん」というイメージづくりが定着し、タバコを吸うことは体によくないとWHOも各国政府も宣伝してきた。世界的にタバコの販売をやめさせようという医師までいる。愛煙家はそうした健康被害の可能性を理解した上で、どんなに重税を課せられても、自分で納得して吸い続けている。「副流煙が怖い」「ニオイが嫌い」といわれ続け、コロナ禍以前から、喫煙所以外ではソーシャルディスタンスに気を使ってきたのだ。他人に迷惑をかけないのなら、吸ったっていいじゃないか。

禁煙活動家の皆さんは「健康に悪いから吸わないのが当然」と禁煙は正義だとばかりにわれわれを迫害する。しかし、私のような愛煙家はタバコを吸わないほうが健康によくないのだ。２０１９年、首相官邸が全面禁煙になったのを機に、気の迷いで一度禁煙してみたところ、それはひどい目に遭った。はじめはストレスでイライラするだけだったが、次第にぼうっとして身体に力が入らず、仕事に支障をきたすようになった。喫煙を解禁したらすぐに復調したので、私の健康維持にタバコは必要だと証明された。個人差があるのは承知しているので、他人に喫煙を勧めることは一切しない。だから、われわれにも禁煙を押し付けないでほしいのだ。

タバコはそれほど悪いのか。立ち止まって考えてみてほしい。世界的に喫煙率は下がり続けているのに、肺がん患者数は右肩上がりである。タバコを吸わなくても肺がんにかかる。そうでないと説明がつかないだろう。肺がんで死にたくないからと禁煙しても、がんにならないとは限らない。愛煙家の解剖学者である養老孟司・東京大学名誉教授も『タバコの害は医学的に証明された』といわれているが、実際のところ、証明なんていうのもおこがましい状態。がんは根本的には遺伝的な病」とおっしゃっている。副流煙の害も医学的な根拠はないという説もあるそうだ。精神的なストレスも発がんの要因ともいわれるが、私の場合はタバコではなく、禁煙のストレスでがんになりそうだ。

愛煙家にとって、タバコはストレス低減に確実に役立っていると思う。脳に直接作用して副作用の危険もある抗うつ剤や向精神薬よりも、タバコのほうがいい。

一面的な正義を振りかざして「タバコを吸うな」というのは、最近の自粛警察やマスク警察と似たようなものだと思うが、禁煙警察だけはなぜか批判されない。米国で黒人男性が白人の警察官に暴行されて死亡した事件をきっかけに、世界的に人種差別反対運動が盛り上がっているが、喫煙者差別を問題視する人は誰もいない。タバコを吸うだけで、殺人者のような扱いを受けることもあり、喫煙者の人格は否定されているようなものだが、愛煙家たちは反論もせず、タバコ税を払っている。

自画自賛になるが本当に辛抱強いと思う。

だからこそ、フランスの研究が成功してほしい。そして、コロナ後のニューノーマルでは「タバコを吸えば感染リスクが低下する」という常識が広まって、喫煙者の人権も認めてもらえるのではと期待している。とりあえず、私は、タバコを吸いながら感染症予防に努めている。

格段に低いコロナ患者の喫煙者率

調査国（喫煙者率）	報告	感染者数	内喫煙者数（喫煙者率）	報告における結論
中国（27.7%）	Guan 2020	1085	137（12.6%）	喫煙の寄与に言及なし
	Guan 2020（2nd study）	1590	111（7.0%）	喫煙の寄与に言及なし
	Lian 2020	788	54（6.9%）	喫煙の寄与に言及なし
	Jin X 2020	651	41（8.4%）	喫煙の寄与に言及なし
アメリカ（13.8%）	CDC MMWR 2020.3.31	7172	96（1.3%）	喫煙の寄与に言及なし
	Petrilli 2020	4103	212（5.1%）	人種、喫煙状況、慢性肺疾患その他の心臓病の入院リスクへの影響は少ないと考察
	Bhatraju 2020	23	5（21.7%）	喫煙の寄与に言及なし
フランス（32.9%）	Miyara 2020	343	15（4.4%）	喫煙者は感染から守られると結論（喫煙者の標準化罹患比が仏全体より統計的有意に低い）
	Fontane 2020	171	5（2.9%）	喫煙者は非喫煙者に比べて感染リスクが低い
ドイツ（30.7%）	Dreher 2020	50	3（6.0%）	喫煙の寄与に言及なし
韓国（23.6%）	Kim ES 2020	27	5（18.5%）	喫煙の寄与に言及なし

※当局データに基づく
（中国:2015、米国:2018、フランス:2016、ドイツ:2018、韓国:2016）
属性に喫煙歴を含む調査報告（2020年4月27日現在）

志村けんさんがもし、禁煙していなかったら

前節の『「喫煙者はコロナ感染から守られる」決定的証拠』は、連載掲載時も大きな反響があった。

「未知のウイルスなのだから、普段と異なる発想でのアプローチは大切だ」「これからも人の迷惑にならないよう、タバコを吸おうと思う」というご意見から、「禁断症状の自己正当化にすぎない」「コロナに感染しにくくなっても、重症化リスクが高まる可能性は否定できない」という厳しいものまで、さまざまなご意見をいただいた。ここでもう一度、コロナとタバコについて、私の考えを述べておこうと思う。

日本を代表するコメディアン志村けんさんが、新型コロナウイルスに感染して肺

炎を発症し、亡くなられた。志村さんは享年70。所属事務所によると、4年前に肺炎で入院し、舞台を途中降板したことをきっかけに禁煙していたという。

同じく、コロナで生死の境をさまよった野球解説者の梨田昌孝さんは「現在はやめているが、以前はタバコを吸っていた時代もあった」という報道があり、やはりコロナ感染の直前には禁煙をしていた可能性が高い。

梨田さんはネットで自身のコロナ感染について大阪国際がんセンター（大阪市中央区）がん対策センター副部長の田淵貴大医師と対談しており、その中で田淵医師は、「新型コロナウイルスについて、10以上の研究があって、喫煙者は2倍くらい死亡したり、重症化しやすい」と指摘している。

しかし、と思わずにいられない。私が調べた別の調査では、前節で述べた通り、世界各国で、感染者における喫煙者の割合が一般人口の習慣的喫煙者の割合（喫煙率）よりも低いという発表が相次いでいる。研究はこれから進むのであろうが、やはり、喫煙者はコロナから守られていると感じざるを得ない。

焦点は、タバコを吸ってコロナを防ぐということと、タバコを吸っていたのにもかかわらずコロナに感染してしまうことで起きる重症化・死亡リスクとの、バランスではないか。

手元のデータでは、喫煙者がコロナウイルスに感染した場合、重症化する割合は国によって2倍強から10倍強までとバラバラだ。また、日本では症状のある人しか無料でPCR検査が受けられない状況で、きちんとしたデータがなかなか集まらないことはたやすく想像できるので、鵜呑みにはできないが面白い数値だ。

いずれにしろ、きちんとした結果が出るまで、ワクチンのないコロナに対抗できるかもしれないタバコを、感情的に批判するのはよくない。喫煙家と禁煙運動家はお互い極端なことをいうのをやめて、コロナが落ち着くまで政治休戦をしてはどうかと思う。

禁煙運動で、もしタバコをやめる人が現れて、その結果コロナに感染してしまったら何のための禁煙運動なのか分からない。人を感染させてもタバコをやめさせたいというなら話は別だが、そんなことはないはずだ。禁煙運動家、もっといえば禁煙ファシズムといっても差し支えないぐらいの人たちは、タバコの本当に小さなリスクの可能性を過大に持ち出して、徹底批判を繰り返してきた。

そんな小さな可能性まで考えているのであれば、タバコのもつコロナ感染防御への小さな可能性についても考えて、もし禁煙したらコロナ感染のリスクが高まり、人が死ぬのではないかということに考えを巡らせてみてはどうなのか。

あれだけタバコは人を殺すといい続けたのだから、今度は自分たちが「加害者」になる可能性について少しは思いを馳せてほしいものだ。

禁煙ファシストたちのこれまでの言動はめちゃくちゃだった。喫煙者を人殺し呼ばわりし、直接的な因果関係も証明されていないものについて、過剰に攻撃を加えてきたのである。そんな彼らの物差しで考えれば、コロナについては、自分たちが禁煙を推進することで加害者になってしまうのではないか。それとも自分たちは絶対に正義だから、相手だけは人殺し呼ばわりしていいという論理なのだろうか。

とにかく、コロナが落ち着くまで、休戦してはどうなのかというのが、私の提案なのである。

ひるがえって、志村さんのことは残念でならない。コロナウイルスはヒトの細胞の表面にある受容体と結合して細胞内に侵入して増殖し、さまざまな症状を引き起こすものだが、ピティエ・サルペトリエール病院の研究チームでは、ニコチンが受容体に付着して、ウイルスが細胞に侵入拡散するのを阻止する可能性があると提唱しているという。

この可能性が事実なら、志村さんは禁煙をせずに、またはニコチンパッチなどをつけていればひょっとしたらコロナ感染から守られたかもしれない。ただ、肺炎を患っていたことがあるとのことで、なかなかタバコを吸う気にはなれなかっただろうし、4年前の禁煙は正解だったと思う。また志村さんは、今年に入って胃のポリープの手術をしていたという報道があったが、お酒はガンガン飲んでいたようだ。テレビや舞台に引っ張りだこの状態で、過労気味であったことは疑いようもない。

以上の事実を冷静に受け止めれば、さすがにタバコと志村さんのコロナ死を結びつけるのは、かなり乱暴な議論だろう。

私は、タバコが体にとてもいいものだとは思っていない。志村さんの肺炎だって原因は遺伝的なものなのか、タバコであるものなのか、それぞれに可能性はあると思う。ただ精神の支えになる効果は実感している。そして今回、コロナ感染から守られる可能性のある論文が出たのだ。

　自分たちにとって都合がよかろうと悪かろうと、その結果を真正面から受け止めようではないか。

　それにしても、これだけ禁煙ファシズムが世界を覆っている中で、粘り強くタバコを吸い続けてきた喫煙者諸君には、まずもって敬意を表したい。可能性は少ないと思うが、もし喫煙でコロナから守られることが分かり、アフターコロナのニューノーマルになったら、愛煙家はノーベル賞ものだ。

あとがき

政府が困った事態になると、メディアが悪いという人がいる。
しかし、メディアが政策を批判し、政治家のスキャンダルを徹底的に追及するのは当然のことであり、誰を頼るわけでもなく裸一貫で「永田町」の門を叩き、政権の裏表をずっと見てきた私からすれば。それを含めての危機管理だ。

小池知事のやり方を批判するのは簡単かもしれないが、小池知事以上の「ワルの知恵」を政権側が持たないとダメだということだ。

民間企業であってもそうであろう。いかに自社でヒット商品を出しても、あとからライバルが類似品を出して自社の商品が売れなくなって恨み節を言ったところで誰も助けてはくれないのである。メディアが世の中に存在している以上、、それを前提に企業活動は進めていかねばならないのだ。

国民は素朴に正義を信じて、政府の良しあしを考えているものだ。自分が観ているテレビ番組や新聞を通してその善悪を判断している。であるならば、やはりどう観られているかを十分に意識しながら行動していく必要がある。

コロナへの対応では、国民を無理やり統制できる「独裁国家」に一定のアドバンテージがあったようだ。日本のように人権を大切にする社会では、政府が行動制限をするのは限界がある。フランスでは、民衆の暴動を恐れてロックダウンを続けられなくなったと聞く。

しかし、民主主義、人権を大切にする概念、そして自由は、未来永劫大切な概念だ。それを大切にしないような国が活況している現状は、一時的なものにすぎない。

さらにいえば、政府が危機管理を強化し、賢く情報発信をすることで、どんな危機も乗り越えられるものなのだ。国民の支持を受けることと、国民からの不人気政策を実現することの両立は可能である。それが令和における「日本人の底力」となる。

日本人はあまり知らないが、このコロナ禍にあって、高齢者や社会的弱者の感染者・死亡者が欧米に比較して圧倒的に少ない国・日本は、ますます世界中から尊敬の念を勝ち得ている。

しかし、相変わらず自虐的ともいえる自国のコロナ政策への不満や批判は、日本人の「生活における平均点は高いのに、危機に弱い」という特質が表れたものかもしれない。そうした令和の時代であるからこそ、日本人一人ひとりの危機管理を極めることが何より大事だということは、論を俟たない。

略歴
飯島 勲（いいじま・いさお）
1945年長野県辰野町に生まれる。1972年小泉純一郎の衆議院初当選とともに、その秘書となる。竹下内閣、宇野内閣で厚生大臣秘書官。宮澤内閣で郵政大臣秘書官、橋本内閣で厚生大臣秘書官。小泉内閣で首席総理大臣秘書官。元自由民主党秘書会副会長。永年秘書衆議院議長表彰、永年公務員内閣総理大臣表彰を受ける。2020年秋の叙勲で旭日重光章を受章。現在、内閣参与（特命担当）、松本歯科大学特任教授、ウガンダ共和国大統領顧問兼政府顧問、コソボ共和国名誉大使。著書に『人生「裏ワザ」手帖』『リーダーの掟』『秘密ノート』『ひみつの教養』『孫子の兵法』『ドン』など多数。

日本人の底力

2021年5月25日 第1刷発行
2022年5月 2 日 第2刷発行

著者　飯島 勲
発行者　鈴木勝彦
発行所　株式会社プレジデント社
〒102-8641東京都千代田区平河町2-16-1平河町森タワー13階
電話　編集　03-3237-3737
　　　販売　03-3237-3731
編集　橘 厚樹　小倉健一
販売　桂木栄一　高橋 徹　川井田美景　森田 巌　末吉秀樹
ブックデザイン　NILSON望月昭秀
制作　小池 哉
印刷・製本　株式会社ダイヤモンド・グラフィック社

 ISBN 978-4-8334-5164-2

本書は、プレジデント誌連載に加筆、再構成したものです。文中一部敬称略。